KB080379

공룡의 이동 경로

김화진 소설

공룡의
이동 경로

스위밍꿀

사랑의 신

나의 시간은 대부분 사랑을 하는 데 쓰인다. 너무나 오랫동안 그래왔다. 나에게 사랑은 태도이자 습관. 규칙이자 성격. 원칙이자 자랑. 그리고 내 몸집만한, 내 영혼의 크기만한 콤플렉스다. 내 이름은 주희. 신주희이고 별명은 사랑의 신이다. 마르지 않는 사랑, 그만두지 않는 연애 때문에 그런 별명이 붙었다. 어쩜 그렇게 사랑을 믿어? 왜 그렇게까지 사람을 좋아해? 어떻게 그럴 수 있어? 내 주변에는 수많은 냉소주의자들이 살다가 떠났다. 그들의 질문은 잘못되었다. 내가 애써 사랑을 죽이지 않는 게 아니라 사랑은 홀로 산다. 인생이 바다만큼 넓고 골짜기처럼 깊은 거라면, 내가 노를 저어 사랑 쪽으로 흘러가는 게 아니라 사랑이 지느러미를 달고 내 주위에서 끊임없이 헤엄치는 것이다. 사랑이 잠깐 내 곁에 머물고 또 떠나가고, 가까워지고 멀어지고, 그러길 반복한다. 사랑을 계속할 수 있는지는 오직 사랑에게 달렸다. 나는 모르는 일이다. 그런 면에서 나는 내 별명이 (그냥도 우습지만) 정말 우습다고 생각한다.

'사랑의 신'이라는 별명에 대한 가장 좋은 해석은 '다정하다'이고 가장 악의적인 해석은 '헤프다'이다. 나는 살면서 그 두 문장을 8대 2의 비율로 듣곤 했는데 나쁜 말 쪽이 훨씬 힘이 세다. 나는 항상 내가 헤픈 사람인가 걱정했다. 사랑은 돈처럼 아이러니하고 불공평하게 주어진다. 세상엔 공평한 게 별로 없으니까 사랑도 마찬가지겠지만, '그것'이 필요 없는 사람에게는 '그것'이 자꾸만 생기고 '그것'이 너무 가지고 싶은 사람에게 '그것'은 절대로 주어지지 않는다. 세상의 법칙 같은 것일까. 그러니까 나는 한사코 연애가 필요 없었는데, 쉼 없이 연애를 하고 있었다. 끊임없이 애인을 곁에 두게 되었다. 초등학교, 중학교, 고등학교, 대학교 내내 어떤 집단이나 모임에만 속하면 그곳에서 애인이 생겼다. 그런 포지션은 언제나 나밖에 없었다. 도대체 왜일까? 나는 궁금하면서도 궁금하지 않았다. 사랑은 언제나 나도 모르게 내 곁으로 다가오니까. 사랑이 바싹 붙으면 가슴이 뛰고 그쪽을 바라보게 되고 그럼 어느샌가 그 애를 좋아하고 있다. 정말로 혼자 있고 싶었는데 그게 다 거짓말이 되었다. 스물두 살 이후로 연애가 필요했던 적이 없었는데도, 스물여섯 살까지 그런 걱정을 했다. 내가 헤픈지 아닌지에 대해서 진지하게 고민했다.

연애가 끊이지 않는 방법은 두 가지다. 한 사람을 계속 만나거나, 다른 사람에게로 계속 건너가거나. 나는 후자다. 내가 필요 없대도 자꾸만 주어지는 사랑은 켜켜이 쌓여 누군가에게로 건너갈 수 있게 하는 다리가 된다. 나는 언제든 다리를 건너갈 결심을 하기 위해 용기를 내는 데 익숙하고, 이 용기는 때로, 슬프게도 사랑을 괄시하는 데 쓰인다. 우리가 서로를 이렇게 슬프게 하지만 부디 나를 포기하지 마, 나는 너여야만 해, 같은 말이 사랑의 지속을 돕고 완성할 때 나는 주로 반대로 말하고 있다. 나를 포기해. 나도 너를 포기할게. 네가 아니어도 돼. 서로가 지닌 단단하고 고집스러운 면, 한때는 사랑스러웠던 개성, 절대 바뀔 수 없는 습관, 그런 걸 가지고 싸울 때 나는 쉽게 상대방을 포기하고 나를 지킨다.

나의 것을 포기하면서까지 너를 사랑하지 않아. 너의 것을 포기하길 원할 만큼 너를 사랑하지 않아. 나는 찰랑이는 선 아래에서 사랑을 한다. 사랑을 시작하는 것만큼 사랑을 포기하는 것이 어렵지가 않다. 나는 다른 사랑을 만날 거라는 것을 확신할 수 있으므로. 나에게는 너밖에 없지 않으므로.

그렇다고 해서 내가 만난, 만나는 사람들을 우습게 여겼던 적은 없다. 사랑을 우습게 여기면 사랑에게 당한다. 사랑에 충실했던 사람만이 사랑의 낭떠러지 앞에서 떨어지지 않는다. 충실했기 때문에. 한 걸음 한 걸음을 눈앞의 사랑만 보고 내디뎠기 때문에. 튼튼하고 힘센 지느러미를 지닌 사랑이 내내 나의 주위를 맴도는 동안만 연애가 가능하다. 내 곁에 바싹 붙어 헤엄치던 사랑은 한 달에 걸쳐 천천히 멀어지기도 하고 하룻밤 사이에 훌쩍 떠나기도 한다. 내 곁을 맴도는 것처럼 보이던 사랑이 실은 그 시간 동안 내내 멀어지고만 있었던 적도 있다. 나는 그걸 안다. 사랑이 움직이면서 일어나는 진동, 물결로 번지는 작은 파동을 느낀다. 사랑에 집중하면 알 수 있다.

나는 사랑의 끝을 가늠하지 않는다. 사랑에는 끝이 없

으니까. 내 곁을 맴도는 사랑의 지느러미는 멈춘 적이 없으니까.

지금 나의 애인은 현우다. 현우는 재작년 봄밤에 만났다. 나보다 세 살 연상이었고 무지막지하게 재미없는 첫인상이었다. 진지한 기자 지망생. 그런 현우를 재밌는 사람처럼 보이게 만들어준 것은 솔아 언니와 지원 언니였다. 그 밤에 나는 취해 있기도 해서, 솔아 언니와 지원 언니가 지닌 매력의 한 뭉텅이 정도를 현우의 것이라고 착각했다. 현우는 그 두 사람 사이에 있을 때만 재미있었다. 그 외에는 대체로 재미가 없었다.

더운 봄밤이었다. 5월인데 열대야처럼 무더웠다. 어쩌다 모인 모임인지도 이제는 아슴아슴하다. 북 페스티벌 같은 게 끝나고 부스를 차렸던 사람들끼리 모였던가. 나는 대학 선배들 중 북 디자이너로 일하는 선배들의 작업실에 막 끼어 그들의 작업을 도와주고, 아르바이트 일을 받고, 가끔 내 작업을 하며 지내고 있었다. 그래서 거기에는 멀거나 가깝게 관계된 사람들이 뒤섞여 있었다. 제각각 독특했지만 어딘지 비슷한 것 같다는 느낌이 들어 이상하게 마음이 편했다. 차가운 술을 마셔도 땀이

나서 취하는 것 같지가 않았다. 야자수가 그려진 맥주컵이, 후텁지근한 밤공기가, 그 테이블에 우연히 둘러앉은 사람들이 모두 마음에 쏙 들었다. 거기에 현우가 있었다. 그러나 현우만 있던 것은 아니었다. 현우를 보이게 해준 솔아 언니와 지원 언니도 거기서 만났다.

그때 나는 막 교정을 시작해서 고무줄이 치아를 당기는 느낌에 인상을 쓰고 있었다. 먼저 다가온 것은 솔아 언니였다. 다정하게 생겼네. 나와 같은 부류일까? 안주로 나와 있던 당근을 조심조심 씹으며 생각했다. 사랑에 박한 타입은 아닌 것 같다. 아니다. 맞나? 다정하긴 하지만 누군가를 사랑하는 스스로를 어색해하는 타입? 골똘히 생각하다가 단단한 당근이 교정기를 단 치아의 가장 아픈 부분을 건드려 윽, 하고 인상을 찌푸렸다. 솔아 언니가 어떤 타입인지는 모르지만 언니를 처음 봤을 때부터 좋았다. 몰래 애쓰는 사람이라서 좋았다. 분위기를 중요하게 여기는 사람. 눈치를 많이 보는 사람. 자기 생각을 우스갯소리에 섞어 떠나보내는 사람. 나만큼 다정하지는 못할 거고 그럼에도 최선을 다해 다정해지려는 사람일 거라고 추측했다. 내 곁에 잘 모이는 사람들의 비율상, 아무리 어려 보여도 나보다 언니일 것이라고도 예상했다. 그리고 내 예상이 맞았다.

　이미 맥주를 마실 대로 마셔서 두 볼이 붉어진 솔아 언니가 맞은편, 내 옆자리에 앉은 현우를 놀리며 나에게도 어서 맞장구를 치라는 듯 윙크를 하며 웃었다. 나는 언니를 보고 있었으므로 알았다. 언젠가 언니와 현우의 대화가 나에게 옮아오리라는 것을. 곁눈질로 보고 있었다. 같은 테이블에 앉게 됐을 때부터 현우는 언론사에 취직도 하고 싶고 자기 글(무슨 비평이라고 했다……)도 쓰고 싶다고 말하며 진지한 눈빛을 빛내던 남자였는데 솔아 언니는 내내 그걸로 오오…… 김훈 주니어…… 하면서 놀렸다. 의미 없는 놀림이었는데 현우는 발끈해서 김훈은 소설가고 자기 글쓰기는 그런 게 아니고 하며 구구절절 이야기했고 아마 그때부터 놀림의 굴레에서 빠져나오지 못한 듯 보였다. 그리고 모두가 술에 취하자, 현우가 본격적으로 자기가 쓴다는 비평, 쓸 거라는 기사, 최근 읽은 모든 칼럼에 대해 끊임없이 이야기를 해댔고 솔아 언니는 시종일관 현우의 말투와 말버릇에서 놀릴 거리를 찾고 있었다. 현우는 자신이 내뱉는 모든 문장을 강조하고 싶었는지 놀림을 받는 것을 눈치채지도 못한 채 연신 "~거든요"로 끝맺었다. 연달아 들려오는 "~거

든요" 폭격에 나도 모르게 웃음이 터졌는데 솔아 언니
는 그걸 놓치지 않았다.

　방금 비웃었죠? 이 사람 말하는 거 비웃었죠? 거봐요
현우씨…… 나만 비웃는 게 아니라니까…… 그런 식으
로 말하면 세상 사람들이 다 비웃는다니까……

　그러면 현우는 또 펄쩍 뛰며 그게 아니라고, 다시 들
어보라고, 제대로 들어보라고 징징거렸다. 왜인지 그런
억울해하는 모습이 밉지 않은 남자였다. 놀림을 잘 받는
것도 능력이지, 그렇게 생각했다. 잘난 척하는 건 좀 별
로였지만. 현우가 잘난 척할 때마다, 혹은 뭔가를 억울
해하며 해명할 때마다 솔아 언니는 장난스럽게 현우를
등지고 입 모양으로 나에게 말했다. '쟤.또.쟤.미.없.는.
소.리.한.다'. 하품하는 척을 하기도 했다. 그 익살맞은
표정이 사랑스러웠다. 약올라 하는 현우와, 재밌어죽겠
다는 솔아 언니의 얼굴이 웃겨서 또 웃었다. 간간이 솔
아 언니와 눈이 마주쳐서 웃다보니 곁눈에 또 다른 사람
이 걸렸다.

　대각선으로 앉아 있는 섬세하게 생긴 여자였다. 조용
히 술만 마시는 줄 알았는데 자세히 보니 그게 아니었
다. 솔아 언니가 깨를 털듯 현우를 놀리면 그 모든 말에

두드려 맞은 현우가 혼미해져 있을 때 그 여자가 한마디를 더했다. 현우의 표정이 거의 무너지면 현우를 가운데 둔 두 여자는 그렇게 웃기다는 듯 배를 잡고 킬킬거렸다. 섬세하게 생긴 여자는 지원 언니. 말하자면 조용조용 마지막 펀치를 날리는 사람이었다. 두 사람은 현우를 놀리는 데에 이 밤의 모든 걸 바치고 있었다. 술자리니까. 원래 그렇게 죽자고 웃기로 하는 자리니까.

허무하고 즐거운 시간이 지나자 고백 타임이 왔다. 우리는 허물어지기 위해, 허물어지고 쌓아가기 위해 이런저런 자기 이야기를 했다. 가장 소중해서 가장 연약한 부분을 꺼내놓았다. 현우는 허무맹랑 타임과 고백 타임에 늘어놓는 이야기가 똑같았다. 그래서 종종 웃음이 터졌다. 언니들은 현우의 말이 끝날 때마다 아까 한 얘기 아니야? 하고 놓치지 않고 놀렸다. 그러나 다시 지펴보려고 해도 웃음의 불씨는 꺼졌다. 새벽이 깊었기 때문에.

우리는 아직 되지 못한 사람들이었고 뭔가가 되고 싶은 사람들이었다. 대단한 게 아니더라도 그저 지금 아닌 다른 모습을 원했다. 아주 조금이라도 지금보다는 나은 모습이고 싶어했다. 되고 싶다는 마음의 속성은 아마도 잘 시니컬해지지 못하고 아직도 소중한 것이 있고 그

것 때문에 곧잘 울고 마는 촌스러움인지도 몰랐다. 잘 안 될 거라는 시그널이 발밑에 수북한데도 자꾸만 이상하게 잘될 거라는 믿음을, 들은 적도 본 적도 없는 파랑새 같은 낙관을 놓지 못하는 사람들. 나는 그 사람들이 전부 나 같았고 그래서 좋았다. 찐득한 떡처럼 들러붙는 사람들일 거라고 생각했다. 맨정신에는 너무 자기 검열이 심해서, 잔뜩 취해야만 찐득해지는 게 가능한 사람들이라는 건 그때는 몰랐다. 우리는 한층 진실된 목소리로, 보다 깊은 이야기를 나눈 서로에게 이상한 사랑스러움을 느꼈다. 온도나 질감은 조금 달랐겠지만 네 명 모두에게 중요한 순간임은 분명했다.

그날 밤의 이상한 기운으로 우리는 '되기 전 모임'을 만들었다. 누가 먼저 그런 걸 하자고 부추겼는지는 기억이 나지 않는다. 각자 되고 싶은 게 되기 전까지 필요한 노력들을 알아서 하는 모임이었다. 그 노력들을 글로 정리하는 게 원칙이었다. 내가 뭘 써야 해요? 라고 묻자 솔아 언니가 "아무거나 상관없어, 그게 우리가 뭔가 되는 데에 도움이 되는 거라면" 하고 제법 비장하게 말했는데 혀가 꼬여 웃기고 귀여웠다. 사랑스러워. 인형을 선물받고 품에 꼭 안은 아이처럼 나는 생각했다. 내 몸의 테두리 아주 가까이에서 사랑의 지느러미가 좌우로 세게 물살을 가르는 것이 느껴졌다.

*

사랑을 잘하려면 기억력이 좋아야 한다. 기억력이 좋은 사람이라고 전부 사랑을 잘하는 것은 아니지만. 때때로 사랑은 기억력을 좋아지게도 만든다. 나는 지원 언니가 좋아하는 캐릭터를 그리는 디자이너의 이름과 좋아하는 간식의 종류와 선호도를 안다. 초콜릿 코팅된 도넛, 아몬드 초콜릿, 콜라 맛 젤리 순이다. 솔아 언니는 젤리는 좋아하고 도넛은 좋아하지 않는다. 피칸파이는 먹지만 레몬파이는 먹지 않는다. 현우는 숲 향기가 나는 향수를 좋아하고 모자를 좋아하고 계피가 든 음료와 사진이 프린팅된 티셔츠를 좋아하지 않는다.

이외에도 언제나, 나는 이런 것들을 생각한다. 솔아 언니가 유독 지쳐 보이는 날이면 얼그레이파운드케이크를 함께 주문하고, 지원 언니가 좋아할 법한 번개무늬가 수놓인 양말을 발견하면 사서 다음 모임에 가져갔다. 현우에게는…… 아무것도 하지 않으려고 했다. 친절을 베풀지 않으려고. 그에 대해 기억하고 아는 척하지 않으려고 했다. 그들에게 내가 할 수 있는 걸 해주고 싶었다. 그 모임을 지키기 위해서.

지금 그 모임은 사라졌고 우리는 전부 흩어져 뜨문뜨문 연락을 주고받지만 나에게는 아직 현우가 남았고 언니들과도 사랑 아닌 다른 어떤 것을 주고받았다. 언니들과 이야기를 나누고 집으로 돌아와 혼자 울게 되었던 것. 사랑이 아니라면 약점을 주고받았을 텐데 나에게 사랑은 약점이므로 결국 사랑이지 싶은 것.

우리 넷은 각별했지만, 서로를 주물러 영향을 줬지만 그 정도는 일대일로 연결된 사람들마다 다를 터였다. 무르기, 투명도 혹은 점성과 탄력성 같은 게 말이다. 처음에 현우는 부드러운 고리 같았다. 나와 지원 언니와 솔아 언니를 연결하는 고리. 늘 진지하기만 했던 현우가 가끔 하는 농담에도 익숙해졌다. 대부분은 듣고 두 손으로 휘이휘이 털어냈지만. 그런 반응에 망연자실해하는 모습도 귀여웠다. 그런 마음을 먹을 때부터, 나는 현우와 그렇게 될 줄 알고 있었나. 아님 애써 모른 척하고 싶었나. 결국 애인 사이가 된대도 솔아 언니와 지원 언니에게는 비밀로 해야지 싶었다. 이상하게 다른 때보다 좀 더 부끄러웠다. 결성된 모임에서 애인을 만들어버리는 일이. 두 언니는 사랑이나 연애보다 더 중요한 것에 골몰하고 있는 것처럼 보이는데 나만 이렇게, 애송이처럼 천둥벌거숭이처럼 사랑에 풍덩풍덩 빠진다는 게.

우리가 모임 장소로 정한 카페는 상수역 근처에서 보기 드물게 공간이 넉넉했고 테이블이 널찍했다. 모임에 나가면서 나는 작은 성당에 홀로 앉은 것처럼 안정감을 얻었다. 언니들이 있어서. 거기에 가면 누가 있다는 것이 좋았다. 우리가 자주 앉는 자리 뒤로는 커다란 창이 나 있어서 정원에 심긴 나무의 가지들이 창 가까이로 늘어지는 광경을 볼 수 있었다. 나는 주로 나무를 볼 수 있는 자리에, 창가 맞은편에 앉았다. 창가 자리 가장 안쪽부터 늘 먼저 오는 솔아 언니, 그 옆으로 지원 언니가 주로 앉았고 그래서 현우는 언제나 내 옆자리였다.

솔아 언니와 지원 언니를 알게 되어 마치 이란성쌍둥이 언니가 생긴 것 같은 기분이 들었다. 나는 필요에 따라, 기분에 따라 번갈아 언니들을 찾았다. 나름의 이유는 언제나 있었다. 나는 두 사람 모두를 엄청나게 좋아했는데, 아주 미세하게, 지원 언니보다 솔아 언니가 조금 더 어려웠다. 종잡을 수가 없어서 그랬다. 지원 언니가 단순하게 이해되는 반면, 솔아 언니는 날카로운 것 같으면서도 무던하고 따뜻한 것 같으면서도 비정했다. 복잡한 사람. 그래도 좋았다. 솔아 언니의 날카로움은 나를 해치지 않고(내가 스스로 겁먹을 뿐), 언니가 나를 좋은 사람으로 봐준다는 걸, 이유 없이 좋아해준다는 걸 알았기 때문이다.

내가 느끼는 것과는 반대로 대부분의 사람들은 지원 언니를 어려워했는데, 말수가 적고 어딘가 완고해 보이는 느낌을 주는 인상 때문인 것 같았다. 나에게도 지원 언니의 그런 면이 보이기는 했지만, 이상하게도 남들만큼 어렵지는 않았다. 우리는 전공도 비슷했고 좋아하는 것도 비슷했다. 좋아하는 건 곧 중요한 것과 맞닿아 있는 경우가 많아서 지원 언니와의 대화는 미끄럼틀을 타듯 자연스러웠다. 나도 모르게 성큼성큼 지원 언니에게 다가가고 붙들고 시간을 뺏고 내 얘기를 털어놓을 수 있었다. 미대를 나와서 타투이스트가 된 지원 언니. 언니에게는 작업실 선배들에게도, 모임 사람들에게도 한 번도 보여준 적 없던 것을 들켰다. 내가 그리는 만화였다.

가을장마가 길고 지루하게 이어지던 무렵이었다. 늘 먼저 와 있던 솔아 언니가 웬일로 늦으려는지 큰 창 아래 놓인 널찍한 테이블, 우리가 늘 앉는 그 자리가 텅 비어 있었다. 커다란 창밖으로 기세 좋게 비가 내리고 있었다. 비가 와서 거리에도 카페에도 사람이 없구나. 비오는 날은 그래서 좋다가도 마음이 곧잘 불안해졌다. 잘 있다가도 문득 심장이 있는 쪽 가슴에 두 손을 대고 꾹눌러보기도 했다. 나는 솔아 언니가 자주 앉던 창가 구석 자리에 앉았고, 잠깐 등 뒤에서 쏟아지는 빗줄기의 힘과 냄새와 소리를 느껴보았다. 그리고 아이패드를 꺼내 그리던 만화를 이어 그렸다. 고개를 잔뜩 수그린 채 패드에 코를 박고 말풍선 안에 '동생'의 대사를 적고 있었을 때, 시야에 심플한 나무 타투를 새긴 손이 슥 들어왔다.

주희 안녕?

지원 언니였다. 차갑게 내린 핸드드립 커피를 내 쪽으로 밀어주고 있었다. 나는 뭘 먼저 숨겨야 할지 몰라 그저 언니를 쳐다봤다.

음료도 안 시키고 있길래 나랑 같은 걸로 시켰어.

그 말에 고개를 끄덕였다. 아이패드 화면은 여전히 환하게 빛나는 채로 있었다. 지원 언니의 시선이 거기 닿아 있는 걸 아는데 손이 움직이지 않았다.

카톡 못 봤어? 오늘 현우씨도 솔아씨도 못 온대. 현우씨는 갑자기 일이 생겼고 솔아씨는 야근.

아아……

그거 네가 그린 거야? 봐도 돼?

나는 홀린 듯 고개를 끄덕였다. 지원 언니니까 그래도 된다고…… 생각했던 것 같다. 어쩐지 떨리는 마음으로, 지원 언니가 긴 손가락으로 패드 화면을 톡톡 치며 내가 그린 만화를 보는 모습을 지켜보았다. 언니의 툭 자른 단발머리와 내가 쓴 대사를 중얼거리는 옅은 분홍색의 입술을 보았다. 언니가 고개를 들고 나를 보며 환하게 웃었다.

너무 귀엽다. 너무 귀엽고 사랑스러워. 딱 너 같다.

나는 그 말을 듣고 왠지 울고 싶어졌다. 정말 울어버릴까봐 앞에 놓인 커피를 쪼록 빨아 마셨다.

그날 나는 두 가지를 느꼈다. 지원 언니가 현우씨는 일이 있대, 하고 말할 때 가슴이 부드럽게 내려앉던 것과 너무 귀엽고 사랑스러워, 딱 너 같다, 하고 말할 때 찌릿하고 폐 안쪽이 찔려오던 것. 내가 내심 현우가 오기를 기다렸다는 사실을 인정했고, 나의 사랑 없음 상태를 가리려고 사랑스러움을 잔뜩 걸쳐 입었다는 사실을 확인했다. 현우를 향한 마음은 익숙했고 나를 향한 마음은 낯설었다. 그러면 좀 안 되나, 하는 뻔뻔한 나와 그 정도는 아니야, 하고 변명하는 내가 있었다. 완벽하게 속여 왔다는 도취감과 어설프게 거짓말을 했다는 불안감이 동시에 들었다.

사는 동안 나는 자주, 비틀고 지우고 덧칠한다. 어떤 사람들은 그걸 꿰뚫어 본다. 나는 그 사람들을 사랑할 수 있나?

다시 한번 말하지만 사랑하는 능력은 내 것이 아니다. 내 주위를 맴돌 뿐이다. 그러나 그동안 인정하지 않았던 것은, 사랑에게만 지느러미가 달려 있는 건 아니라는 점이다. 나에게도 헤엄을 칠 수 있는 팔과 다리가 있다. 나는 자연스러운 물길을 따라 흘러가는 척하면서 실은 사정없이 발버둥치고 있었는지도 모른다. 사랑 쪽으로 가려고. 더 가까이, 더 자주.

지원 언니에게 만화를 들켰다면 솔아 언니에게는 시에 숨겨둔 것들을 들켰다. 그건 내가 그렇게 적은 것이므로 유달리 들켰다고 하기에도 뭐하지만, 어쨌든 그걸 짚어낸 건 현우도 지원 언니도 아닌 솔아 언니였다. 내가 모임에 주로 가져가는 글은 시였다. 시에 가까웠다. 언제나 그림 위주로 생각해서인지 긴 글은 익숙하지가 않았다. 속에서 툭툭 불거지는 물음을 그대로 옮겨 적기에도 시가 가장 자연스러웠다. 언젠가 내가 제출한 시를 읽고 솔아 언니는 말했다.

주희 시에는 얼음이랑 촛불이랑 유령이 자주 나오네.

그러고는 동그란 눈으로 나를 쳐다봤다. 생각하는 눈이었다. 애써 외면하느라 하하 그런가요, 하고 웃었지만 영락없이 속을 들킨 기분이었다. 속 중에서도 속. 밑 중에서도 밑. 계속 감춰오던 어떤 것. 시에 계곡과 장마와 방학이라는 단어는 쓰지 않았지만 나의 십 년 전, 십 년 동안의 나를 한꺼번에 들켜버린 것 같았다. 조금만 더 얘기를 하면 전부 말해버릴 것 같아서 그날 나는 온종일 입을 다물고 있었다. 여느 때처럼 수다스럽지 않고 말이 없는 나에게 언니들은 어디 아파? 하고 물었고 나는 그저 교정 때문에, 오늘 유난히 아프네, 하고 핑계를 댔다.

그 뒤로 어쩐지 솔아 언니의 동그란 눈이 내가 그토록 노력해서 두른 얇은 사랑의 막을 찢을까봐 조마조마하게 되었다고 하면 우스울까. 그게 바로 솔아 언니를 좋아하면서도 불편하게 느끼는 이유였다. 마음이 오락가

락했다. 나조차도 제어 불가였다. 나에게 제어 불가인 감정은 하나밖에 없었다. 제멋대로 방향을 정하는 사랑. 그러고 보면 정말로 사랑에 가까웠다. 솔아 언니를 향해 혼자서 속으로 왜 자꾸 아는 척해, 왜 멋대로 남의 걸 읽어, 내가 거기 숨겨둔 것까지, 하고 으르렁거리며 원망하고 있으면 언니는 불쑥 다가와 내가 잔뜩 날을 세워놓은 모서리들을 전부 둥글게 만들고 갔다. 언젠가, 솔아 언니는 나에 대해 그렇게 말한 적이 있다.

주희 너는 더키 같다.

덕희?

더키. 〈공룡시대〉 몰라?

모르는데요……

만화야. 나뭇잎이 전부 말라 굶주리던 초식 공룡들이 마실 물과 먹을 잎이 풍족한 땅을 찾아가는데, 지각 변동이 일어나 땅이 갈라지면서 각자의 무리에서 떨어진 아기 공룡 다섯 마리가 티라노사우루스의 공격을 피하며 목적지인 '푸른 낙원'에 도착하는 이야기. 주인공은 아파토사우루스고 이름은 리틀풋이야. 더키는 뭐였더라…… 기억이 안 나네. 더키는 입큰공룡이야. 그 만화에서는 공룡의 종을 아파토사우루스, 티라노사우루스,

이렇게 부르지 않고 목긴공룡, 칼이빨공룡, 하고 부르
거든.

나 입 크다고요? 교정한다고 놀리는 거지.

전체적으로 다 닮았어. 입이 크고 활짝 웃고 속눈썹이
길고, 그리고 더키가 제일 귀엽고 제일 사랑스럽거든.

언니는 다섯 마리 중에 누구 좋아하는데요?

세라라고. 뿔셋공룡. 뿔셋공룡은 트리케라톱스야. 걔
가 거기서 혼자 허세 부리고 고집부리는 욕심 많은 캐릭
터거든······

그런 캐릭터가 좋아요?

좋았다기보다 마음이 쓰였어. 그런 캐릭터는 아무도
안 좋아할 거니까.

솔아 언니 말을 듣고 〈공룡시대〉를 봤다. 조금만 보려
고 했는데 금세 다 보게 되었다. 아주 옛날 만화. 먹보 공
룡이 태어나자마자 풀을 와작와작 썹어 삼키는 장면과
잎이 전부 말라버린 땅에 떨어진 유일한 초록 잎에 물방
울이 고이는 장면을 잊지 못할 것 같았다. 솔아 언니는
어린 공룡들이 그 잎을 먹지 않았다는 게 감동이었다고
했다. 거기다 대고 언니, 만화잖아요, 하고 웃지 못했다.

직접 보니 과연 푸른 낙원이 있다는 증거이자 아기 공

룡 리틀풋의 엄마가 남긴 마지막 선물인 별 모양의 초록 잎을 아무도 먹지 않고 목적지까지 소중히 지니고 간다는 것에서 오는 잔잔한 감동이 있었다. 그 다섯 애기들이 그 작은 잎을 소중히 들고 다닌다니까. 팔이 있는 공룡은 들고, 네발로 걷는 공룡은 이고 지고. 만화영화를 보는 한밤중에 솔아 언니의 목소리가 들리는 듯했다. 솔아 언니가 말한 더키는 중반 이후쯤 등장했다.

그런데 예상치 못하게 더키가 등장하기 전에 나는 눈물을 쏟아버렸다. 주인공 리틀풋의 엄마가 리틀풋과 세라를 티라노사우루스로부터 구한 뒤 쓰러져 죽어가는 장면에서. 엄마 공룡의 목소리가 너무 부드럽고 좋아서. 죽어가는 이의 목소리가 그래도 되나 싶게 평화로워서 그만 울고 말았다. 일어나요 엄마, 아기 공룡이 그렇게 말하면 엄마 공룡은 대답한다. 일어날 수 있을지 모르겠구나, 리틀풋.

수많은 영화와 소설에서 빈번하게 마주치지만 그게 정말일까 아직까지 의심하고 있는 말이 있는데, 이 만화영화에도 그 말이 나왔다. 눈에 안 보이지만 언제나 곁에 있어, 곁엔 없지만 항상 너와 함께일 거야, 하는 말. 죽은 사람의 말. 산 사람에게 하는 말. 죽은 사람을 두고 하는 말. 죽음에 대한 진리 같은 말. 끊임없이 대사로 쓰이니까 아마도 진리에 가깝겠지. 나는 그렇게 생각한다. 보편적인 말들에는 이유가 있다고. 그것들을 이해하는 나이가 차츰차츰 올 거라고 말이다. 그러나 언제쯤일까. 그 말을 이해하게 되는 날은 말이다. 죽은 사람은 언제나 네 마음속에 살아 있을 거야, 하는 진리를 나만 깨닫지 못하고 있는 걸까. 그렇게 살아 있다면 살아 있는 게 아니라고 나만 저항하고 거부하고 있는 걸까. 아직 받아들이기 위한 시간이 내게 오지 않은 걸까.

*

지원 언니와 솔아 언니는 보이지 않는 끈으로 연결된 사람들 같았다. 물론 그 끈은 너무 잘 늘어나서, 겉으로 보기에 두 사람은 영 먼 것 같기도 했다. 하지만 그런 것도 없는 건 아니지. 내 주위로 지느러미 달린 사랑이 헤엄쳐 다니듯, 두 사람 사이에 매인 아주 가느다랗고 무한하게 늘어나는, 톡 치면 끊길 것 같은 투명한 끈 같은 것도 있을지 모르는 일이다. 둘은 내가 지금 더 다가가면 싫겠지, 저 복잡한 사람을 그냥 복잡한 채로 놔둬줘

야겠지, 하는 마음들이 비슷했다. 실은 옆에서 지켜보는 게 너무너무 답답했다. 사랑에 일가견이 있는 사람으로서, 그런 두 사람에게 몇 마디 해주고 싶던 적이 한두 번이 아니었다.

있잖아 언니. 생각보다 사람은 자기가 절대 안 하는 행동을 하는 사람을 좋아한다. 나는 절대 안 하지만 저 사람은 나에게로 저벅저벅 걸어와줬으면 좋겠다고 생각해. 그 사람이 자기가 좋아하는 사람일 때면 말이야. 예의 같은 거 차리지 말고 지금 만나! 내가 그쪽으로 갈게! 하는 걸 좋아해. 모든 곳에 일괄 적용되는 법칙 같은 건 아니고, 그냥 그럴 것만 같은 순간들이 있어. 하지만 알면서도 언니들은 서로 가지 않지. 혹시나 무례할까 하는 마음에 말이야. 그리고 사랑은 혹시나 하는 순간에 조금씩 죽어.

하지만 그런 말은 하지 못하고 내 주위를 떠도는 지느러미 달린 사랑처럼 언니들 사이를 자유롭게 누비고, 넘나들고, 관찰했다. 언니들이 투명한 실로 실뜨기 같은 걸 하고 있을 때 나는 현우와 몸을 겹치고 잠드는 사이가 되었다. 언니들이 투명하고 물렁한 사이라면 현우와 나는 불투명하고 단단한 사이쯤 될 것이다. 우리는 서로의 손에 만져지고 잡혀주고 했으니까. 우리는 나란히 누워 그때그때 서로에게 좋다고 여기는 점과 좋지 않다고 여기는 점을 얘기해줬다. 대개 내가 먼저 물었다.

내가 좋은 점 한 가지 말해봐.

좋고 싫은 걸 자세하게 말하는 게 좋아. 그림을 그려서 그런가? 보이는 것도 보이지 않는 것도 관찰하는 능력이 엄청난 것 같아서 신기해.

안 좋은 점도 한 가지만 말해봐.

관찰을 너무 잘해서 내 못난 면도 전부 관찰하고 있어. 그리고 말을 잘해서 그걸 엄청나게 다양하게 변주해서 나한테 말해줘.

짜증나는 거 있으면 돌려 말하지 말란 소리지?

응.

내가 돌려 말하면 짜증나?

아니. 나는 네가 짜증난다고 말하면 그걸 고치고 싶어. 근데 돌려 말하면 어려우니까.

음.

나는?

너는 열심히 하는 사람이라 좋아. 안 된다고 생각하지 않는 사람이라서.

네가 보기에 나 기자 못 될 거 같아?

아니.

진짜?

응. 내가 생각한 건 다 반대로 돼. 공모전 준비하던 작업실 동기들도 내가 될 거 같다고 한 애들은 다 안 됐고 안 될 거 같다고 한 애들은 다 됐거든.

나 안 될 거 같다고 생각했구나.

아니 그건 아니고……

현우에게 건성으로 대답하며 나는 생각했다. 그래 나는 대체로 관찰하는 입장이었다. 그래서 사랑의 스테이지에서도 유리했다. 그런데 언니들에게는 온통 들키고만 말았다. 그런 느낌은 처음이라 신기했다. 창피하면서도 후련했다.

뭔가를 들켰다는 기분은 나에게 언니들이 더 가까운 존재로 느껴지게 하기도 했다. 연약해진 동시에 든든해지는 느낌이 들었다. 언니들을 양팔에 끼고 어리광을 부리고 싶었다. 실제로도 언제나 그런 포지션이었지만, 동시에 소외감이 들기도 했다. 언니들의 애정 어린 눈빛과 목소리를 듬뿍 받으면서도, 종종 언니들에게 필요한 건 서로이지 내가 아닌 것 같다는 느낌이 들었다. 나는 언제나 내가 사랑이 차고 넘친다고 생각했는데. 이상하게 구멍이 난 듯 아주 작은 사랑의 결정들이 살금살금 새어 나가는 게 느껴지는 것 같았다. 이러다가 결국 텅 비게 되는 건 아닐까? 그럴 때마다 머리를 흔들어 소외감을 털어냈다. 그러지 않으면 자꾸 스스로를 향한 의심이 들러붙었으니까. 언니들에게 소중한 뭔가가 되지 못해서 현우를 사랑하게 된 건 아닐까? 설마 그랬을까? 그랬어도 달라지는 건 없다. 나는 눈에 보이고 손에 잡히고 안기는 걸 원해. 현우는 내 방식대로의 사랑. 사랑은 나의 성격이자 습관. 자랑이자 콤플렉스.

*

종종 모임이 끝나버린 날을 생각한다. 언니들이 떠나간 날. 지원 언니가 모임을 그만둔다고 일방적으로 카톡을 보내온 날. 그 둘이 사이가 서먹해진 건 진작에 눈치 챘지만 그게 수면 위로 드러났던 날. 단톡방은 조용했다. 조용할 수밖에 없었다. 나머지 사람들이 무슨 말을 하기도 전에 지원 언니는 방에서 나가버렸다. 언니들 사이에 무슨 일이 있었는지 나는 알지 못했다. 알지 못했지만 알 것도 같았다. 별것도 아닌 일이겠지. 생각해보면 우리가 만난 것도 진짜 별것 아닌 이유에서였으니까. 그렇게 만나서 어느 누구에게도 말하지 않았던 것들을 말하고, 가까워지고, 특별해졌으니까. 멀어지는 일도 대단한 이유가 있어서는 아닐 것이다. 하지만……

언니들은 바보야. 내가 그 모임을 얼마나 좋아했는데. 언니들을 양옆에 세워두고 내가 얼마나 든든했는데. 언니들이 그걸 다 망쳤다. 원망은 불쑥불쑥 치솟았다. 잔잔하게 생각을 하다가도 속상해졌다. 언니들은 진짜 바보다. 서로 좋아하는 게 뻔히 보이는데 서로 터놓지도 않고 마음을 알아주지도 않고 그저 멀고 먼 곳에서 서로를 향해 눈짓이나 보내고 말도 건네지 않고. 그렇게 예쁜 유리처럼 살아서 뭐가 남나 보자. 그런 저주 비슷한 말까지 떠올렸다. 그럴 정도로 언니들이 미웠다.

지원 언니가 떠나고 모임은 조금씩 죽어갔다. 셋이서 간헐적으로 만나다가 결국 현우와 나만 남았다. 나는 몰두할 만한 일이 필요했다. 그래서 서너 달 동안 현우와 작업실 동료의 도움을 받아 작은 만화책 하나를 만들었다. '되기 전 모임'이 끝났으니까, 본격적인 건 아니더라도 뭐라도 되어봐야지 하는 마음이었다. 지원 언니에게 들켰던 그 만화였다.

　인쇄된 작은 만화책이 전부 내 방 한쪽에 쌓이던 날, 지원 언니에게 전화를 걸었다. 언니의 목소리는 한숨이나 입김처럼 들렸다. 수증기나 안개 같은 것. 지원 언니를 보면 항상 언제 사라져도 이상하지 않다는 느낌을 받곤 했다. 그런 언니가 단톡방을 나갔을 때 아무 말도 못 한 건 어쩌면 당연히 그렇게 되리라는 예감 때문이었는지도 몰랐다. 전화를 걸어 다짜고짜 그리로 가겠다고 했다. 어딘지도 모르면서. 꽤 오래 침묵하던 언니가 주소 하나를 불러줬다. 언니의 작업실에서 멀지 않은 곳에 위치한 옥탑방이었다.

　짐이 빠지다 만 것 같은, 누가 살다가 급히 떠난 것 같은 어수선한 방에 언니는 오도카니 앉아 있었다. 방은 널찍했으나 보일러는 끊겼는지 바깥과 비슷한 온도로 추웠다. 앉은뱅이책상도 하나 없는 그런 곳 한가운데 섬처럼 지원 언니가 동그마니. 내가 들어서자 물 줄까? 하고 가방에서 오백 밀리리터짜리 삼다수를 꺼내 건네줬다. 나는 멀뚱히 서서 삼다수를 받고, 가방에 넣어 온 조잡한 떡제본의 만화책을 꺼내 내밀었다. 언니는 앉은 채로 긴 팔을 죽 뻗어 내가 건넨 만화책을 받았다. 지원 언니는 어디에 있어도 자연스럽네. 힙스터 천국인 카페에 있어도, 피난 간 가족이 버리고 간 것 같은 방 한구석에 앉아 있어도. 그런 생각을 하며 어색하게 언니의 옆자리에 스르르 주저앉았다. 언니는 내가 어설프게 싼 종이 포장을 벗기고 그 만화네, 했다. 책장을 주르륵 넘겨보다가 어느 장면에서 멈췄다.

나 이 부분 좋아했어.

어디?

주인공이 포장마차에서 오뎅을 사 먹을 때마다 무조건 입천장을 데는데 매번 까먹고 포장마차가 보이면 오뎅을 주문하고 무조건 뜨거운 국물부터 마시는 거. 후후 두 번 불고 마시고 또 덴다는 거.

그게?

입천장에 생긴 물집이나 얼얼함 같은 건 금방 잊고 국물이 맛있다는 것만 기억하는 캐릭터라 멋졌어. 아파도 좋아하는 걸 계속 반복하는 게. 나는 그러지 못하는 거 같아서.

……

여기 내 친구 집이야. 내 집은 정리했어. 이사 가려고.

언니.

나는 친구를 책임져야 한다고 생각하면서 살았는데, 결국 책임 못 졌어. 책임져야 한다고 생각할 땐 책임지기 싫었고, 책임 못 진다는 걸 알았을 때는 책임지지 못해서 괴로웠어. 지금도 여전히 그래.

……

주희야.

응.

나도 시간이 지나가면 너처럼 잃어버린 사람들을 다정하게 그리워하며 만든 무언갈 내놓을 수 있을까.

옥탑방 창밖으로 겨울비가 내렸다. 공기가 한층 차가워졌고 우리가 내쉬는 숨이 하얗게 보였다. 뜨거운 오뎅 국물 마시고 싶네, 그런 생각이 들었다. 언니 그건 진짜 나야. 난 오뎅 국물 때문에 겨울만 되면 입천장이 너덜너덜이야. 그렇게 덧붙여주고 싶었는데 하얀 숨만 느릿느릿 쉬고 있었다. 우리의 코끝은 얼음장 같았다. 언니는 거의 얼음이 되어가는 것처럼 보였다. 희다못해 투명하게. 슬픔은 사람을 얼게 만드나.

언니랑 둘이 있으면 꼭 비가 와.

그런 것 같네.

비의 신이네.

현우가 할 법한 재미없는 농담을 하고 우리는 큭큭 웃었다. 몸의 끝부분이 전부 추웠는데도 차가운 벽에 기댄 채 한참을 앉아 있었다. 언니는 이제 겨울을 힘들어하게 될 것 같다고 말했다. 나는 그게 여름이었는데, 라고 말하는 내 목소리가 낯설었다. 그렇게 자연스럽게 말할 수 있을 줄 몰랐는데. 그랬지, 지원 언니와의 대화는 언제나 미끄럼틀을 타듯. 바람이 씽씽 들어오는 옥탑방에서 이제는 나가야 하는 시간이라는 걸 알았다. 놀이터를 떠나야 하는 때를 아는 아이처럼. 나는 반듯한 지원 언니의 옆모습을 보며 말했다.

가족이 떠나서 그리기 시작했던 만화를 언니들이 떠나서 완성하게 됐어. 그럴 수 있다는 건 참 재밌지.

……

언니, 내 동생 이름은 주현이야. 신주현.

지원 언니와 마주앉았던 그날, 쏟아지는 장대비에 갇힌 것 같던 카페에서, 더는 아무도 오지 않는 모임에서, 나는 처음으로 내 비밀을 얘기했다. 말을 꺼내고 싶은 마음과 꺼내고 싶지 않은 마음이 쾅쾅 부딪쳐 한참을 머뭇거리다가.

언니 내 만화 거짓말이야.

만화는 원래 거짓말이지.

요술램프에 빌던 소원 같은 거야.

그래서 그게 뭔데.

내가 하도 질질 끌었는지 지원 언니는 성격답지 않게 무슨 말이든 얼른 좀 하라고 했다. 언니는 누구에게도 재촉하는 사람이 아니었다.

나는 가족이 없어. 남동생이 죽었고, 그 이후 전부 흩어졌어.

지원 언니는 말없이 고개를 끄덕였다. 순식간에 언니의 길고 순한 눈에 눈물이 가득차는 게 보였다.

지금 구구절절 말할 타이밍이구나, 싶어 나는 계속 말했다. 아빠는 아예 건설 현장 동료들과 숙소를 옮겨 다니며 살았다. 가끔 여동생 유희에게 문자를 보내곤 했지만 답 문자는 아주 늦거나 오지 않았다. 엄마가 보내는 문자에는 내가 답하지 않았다. 엉키고 끊긴 화살표들. 나에게 가족은 그런 이미지였다. 그 화살표를 구부리고 뒤집어본 게 내가 그리는 만화일 것이다. 자기 말만 하면서도 우르르 몰려다니는 귀엽고 엉뚱한 가족. 그건 판타지였다. 괴물이 나오는 쪽보다 훨씬 더. 나는 아빠는 울보에 엄마는 괴력 왕에 동생은 겁쟁이인 가족을 관찰하며 벌어지는 온갖 사건에도 허허실실로 웃기만 하는 '나'가 등장하는 만화를 그렸다. 그 캐릭터들을 미워하지 않고 귀여워하면서. 그들이 지닌 특성은 실제 내 가족의 성격을 뒤집어놓은 것이었다.

아빠는 술에 취하면 상 위의 물건을 던지는 다혈질이었고 엄마는 무기력하고 무관심한 신경질쟁이였다. 동생은…… 겁이 없었다. 겁이 없어서 죽었지. 여름이었고 방학이었고 장마철이었다. 비가 그친 지 얼마 되지 않아 공기가 싸늘하고 물이 불어난 계곡에 아무도 안 들어가겠다는데 거길 왜 들어가보겠다고. 왜 과신하고 과시해. 왜. 그 질문을 죽은 동생에게 수도 없이 했었다. 그리고 언젠가부터 나는, 내가 그린 '나'처럼 살았다.

언니는 눈물이 흐른 얼굴로 말했다.

너 같은 친구가 있어. 그런 가족이 있는. 그리고 그 이유로 자꾸만 죽겠다고 하는 애야.

……

나는 걔한테 그런 이유로 죽느니 가족하고 멀어지라고 했어. 나쁜 영향을 받을 바에는 헤어지라고 내가 부추겼거든.

......

그래서 지금 서울에 와 있어. 이십 몇 년 동안 못 벗어나던 가족과 고향에서 도망쳐서 내 옆에. 그런데…… 나는 그 애가 내 옆에서 죽을까봐 너무 무서워.

언니는 물방울이 잔뜩 맺힌 유리컵을 꼭 쥐었다. 표면에 온통 물방울을 매달고 있는 유리컵은 꼭 지원 언니 같았다. 밤이 깊을수록 장맛비는 거세졌고 심상치 않은 빗소리가 이상하게 무섭지 않았다. 소음 속에서 사락사락 사랑이 움직이는 것이 느껴졌다. 슬픔 곁에는 왜 항상 사랑이 맴돌까. 우리는 왜 비슷하게 슬퍼야만 감춰둔 사랑을 꺼내게 될까. 나는 이 이야기를 어째서 현우나 솔아 언니에게는 하지 못하고 지원 언니에게는 하게 된 걸까. 슬픔은 슬픔을 어떻게 알아보는 걸까.

*

솔아 언니에게 하고 싶은 말이 있다. 그때 웃으며 넘어가느라 하지 못한 말. 나를 귀엽고 사랑스러운 더키 같은 애라고 믿고 있는 언니에게는 하기 싫어서 하지 않은 말.

언니, 여름 시는 못 써요, 나. 여름, 계곡, 장마 같은 말은 아직도 못 써요. 그 대신 계속 그 물을 얼리는 상상을 해요. 단단한 얼음을 밟고 나온 동생이 오들오들 떠는 모습을 상상해요. 점점 반대로 생각하기의 선수가 되는 것 같아요. 나를 더키로 봐주는 사람들이 좋아서 늘 말하지 못했다. 나도 그 시선이 좋았기 때문에. 그게 없었으면 나아가지 못했을 거다. 하지만……

그게 전부는 아니지.

귀여운 가족 만화를 그리는 사람에게 가족이 없고, 상처에 무감한 캐릭터를 만들어내는 사람이 누구보다 상처를 오래 들여다본 사람일지도 모른다는 사실을 항상 생각하려고 해. 사람을 상상하는 일. 겉으로 보이는 행동이 전부라고 애써 믿으면서도 그 안을 조금이나마 헤아려보는 일. 나는 그런 걸 그만둘 수는 없는 것 같아. 사람은 주머니 같다. 나는 그 안이 궁금해. 이렇게 매번 실패하고 실패하면서도 계속 다른 사람의 주머니를 엿보거나, 내 주머니를 슬쩍 열어 그 속을 보여주고 싶다는 강렬한 마음이 있었다.

*

가끔 사랑이 죽은듯이 자고 있을 때면 현우를 괴롭힌다. 괴롭혀서 싸운다. 나는 내 주변의 아무하고도 다투지 않는데 오직 애인하고만 울고불고 싸운다. 큰소리로 시끄럽게 굴면 잠들었던 사랑이 깨어난다. 하품을 하고 몸을 비틀며 다시 움직인다. 사랑이 움직이면 그 파동이 퍼지고 퍼져 나에게 닿는다. 나는 그 순간을 사랑한다. 사랑의 에너지가 내 몸에 와서 닿는 순간.

하지만 그날 싸움을 건 것은 내가 아니라 현우였다. 지난달이었다. 아주 오랜만에 언니들에게 연락을 했는데 지원 언니는 광주로 내려갔다고 해서 만나지 못하고 솔아 언니만 만나고 돌아온 날이었다. 솔아 언니를 만나는 내내 뚱해 있던 현우는 집으로 돌아온 저녁에 나에게 말했다.

너 왜 나랑 만나는 거 솔아씨랑 지원씨한테는 얘기 안 해?

그걸 왜 이제 궁금해해?

이렇게 오래 얘기 안 할 줄 몰랐지.

나는 솔직하게 말할까, 에둘러서 말할까 고민했다. 그러다가 솔직하게 말하는 쪽을 택했다.

이렇게 오래 만날 줄 몰랐지.

현우는 내게 뱉으려던 독설을 삼켰다. 나는 말이 삼켜지는 순간의 공기를 잘 알았다. 나도 삼키는 쪽이었기 때문이다. 그것은 포기하는 마음. 작은 포기들은 소량의 독처럼 켜켜이 쌓여 사랑을 죽인다. 저 독이 현우 마음속의 사랑을 죽이게 될까. 현우의 마음이 찢어지는 게 보였다. 그런 건 신기하게도 눈으로 보이는 것만 같다. 그날 현우는 내게서 등을 돌리고 잤다. 오늘밤 이후로 내 사랑도 죽어가려나? 괜히 조마조마했다. 나는 바로 누워서 사랑의 움직임을 느껴보았다. 그러나 이내, 여전히 사랑이 우리 둘의 근처에 머문다는 걸 알았다. 아직 가지 않았구나. 안도감이 들자 미안한 마음이 피어올랐다. 내가 언니들에게 관심을 기울이는 동안 자기 자리를 한 번도 주장하지 않았던 현우의 슬픔을 상상해보았다. 슬픔을 지닌 현우를 상상하자 사랑이 살금살금 다가왔다.

상처받은 현우는 가르랑거리는 작은 짐승 같고 나는 그런 현우에게 너그러워진다. 너그러워진 나는 현우에게 용서를 구한다. 현우의 마음이 녹고 다시 나를 사랑하도록, 미안해, 그렇게 속삭여본다. 용서를 구하는 이가 전능해지는 이상한 구도가 사랑에는 있다. 그래 나는 이런 사랑 안에서만 신이지. 내가 현우의 등에 손을 갖다 대자, 불편할 텐데도, 잠든 채로도, 현우가 몸을 돌려 내 어깨에 머리를 기대어왔다. 졸음에 겨운 목소리로 현우가 물었다.

안 자?

자.

얼른 자.

현우야.

응?

우리 지원 언니 보러 갈까? 가서 언니 놀래켜주자. 우리 계속 비밀로 만나고 있었다고.

현우는 다시 눈을 감으며 고개를 끄덕였다. 진짜로 가기다. 그렇게 웅얼거렸다. 이상하지. 너에게 상처를 줄 때면 사랑이 살아나. 나는 조용히 가슴에 두 손을 얹어보았다. 슬픔이 차오르는 것 같은 자리에. 사랑이 지나가는 것 같은 자리에. 슬픔을 감지한 사랑이 오리발을 신은 수영 선수처럼 물살을 가르는 것 같았다. 사랑 곁에는 언제나 슬픔이 있는데 나는 어쩌면 그것만을 사랑하는지도 모르겠다고 생각했다.

나의 작은 친구에게

나는 친구를 잃어버렸다. 친구를 잃어버리는 일은 삶의 어느 순간에나 있어온 당연한 일이었으므로 갑자기 왜 이렇게 아연한 표정이냐고 물으면 할말이 없지만, 그것은 별일 없던 내 일상에 꽤 큰 충격을 남겼다. 친구를 잃어버린 이유를 찾자면 내가 너무 안일했기 때문일 것이다. 나는 그 친구를 잃지 않으리라고 과신했다. 잃어버리지 않는 친구, 그런 건 어디에도 없는데. 친구들은 언제나 나를 떠나고 나도 누군가에게는 그들을 떠난 친구일 뿐인데 말이다. 그 친구와는, 여느 친구와의 첫 만남이 그렇듯 아주 우연히 만나게 되었다. 5월은 이제 봄이 아니라 초여름이라고 불러야 맞을 것처럼 더웠고 나는 어느 술자리에 있었다. 그 자리에는 수많은 사람들이 들고 났으나, 호프집에서 나와 마지막까지 쏟아질 것 같은 얼굴을 가누며 얘기를 나누던 사람은 지원이었다.

지원은 타투이스트였고, 그가 새기는 타투처럼 생겼다. 직선으로 뻗은 눈썹과 코. 목과 손가락과 다리. 전체적으로 슥 문지르면 지워질 것 같은 인상이었는데 절대 지워지지 않는 타투를 새기는 게 그의 직업이라고 해서 나는 조금 감탄했다. 사람과 직업이 그렇게 상반되게 잘 어울릴 수도 있는 것이라는 걸 지원은 알려주었다. 그런데서 오는 감동이 있는 사람이었다. 애인을 만날 때나 친구를 사귈 때나 별다를 바 없이, 나는 첫 만남에 첫인상만으로 그 사람에게 푹 빠지는 편이었다.

나는 그날 이후로 지원을 좋아하게 되었다. 가느다란 선 같은 사람이라는 특징에 더해 내가 좋아하는 특징을 몇 가지 더 가지고 있었기 때문이었다. 이를테면 파마하지 않은 단발머리가 보기 좋다는 점, 민소매가 잘 어울린다는 점, 웃을 때 코를 찡그리는 게 퍽 예쁘다는 점…… 그러고 보니 죄다 외모에 관한 것이어서 부끄럽긴 하지만 나는 예전이고 지금이고 언제고 처음 보는 상대의 내면을 보는 방법을 모른다. 보이고 들리고 느껴지는 것들로만 마음이 움직였다.

그러나 그것도, 그 마음이라는 것도 내가 움직여서 움직이는 것이 아니고, 마음은 언제나 혼자서 생겨서 혼자서 죽어버리고. 나는 그 감정이 나를 채우도록 내버려두고 흔드는 대로 흔들릴 뿐이다. 이겨본 적이 없다. 누군가를 좋아하는 일은 늘 그렇게 시작됐던 것 같다. 마음이 갑자기 스스로 커지는 일. 커진 마음이 나를 잡아먹도록 내버려두는 일. 그건 짜릿하기도 하고 괴롭기도 하다. 혼자 멀리 가보고 빙빙 돌다가 다시 돌아오고. 나는 이제 그런 게 우습다. 우스우면서도 아무 힘도 쓰지 못하고. 좋아하면 왜 함께 있고 싶을까. 왜 자꾸 말을 걸고 질문을 하고 뭔가를 같이하자고 하고.

나는 그날 술자리가 파할 무렵 지원과, 가까이 앉아 이야기하던 다른 두 사람에게 글쓰기 모임을 하자고 꼬드겼다. 머리를 양 갈래로 땋은 말투가 고운 다른 친구가 그럼 무엇을 쓰냐고 묻길래 아무거나 쓰면 된다고 말했다. 나머지 한 명은 남자였는데 영화를 보거나 소설을 읽고 비평 에세이를 써도 되냐고 묻길래 비평이 하고 싶은데 그만한 실력은 안 되는군, 하고 생각했지만 발설하지 않고 고개를 끄덕여주었다. 그 두 사람은 상대적으로 내 관심의 영역에서 벗어나 있었으므로 그 사람들이 뭘 쓰든 어떻게 쓰든 상관이 없었다. 나는 그저 지원이 궁금했을 뿐이다. 글이라는 건 이상해서 어떻게 덮거나 가려도 그 사람이 드러나기 마련이었다. 투명하게 쓰건 불투명하게 쓰건, 선명하거나 흐릿하게 그 사람을 알려주었다. 그런 방식으로 지원을 알고 싶었다.

그런데 이렇게 말하면 오해들을 하게 될 것이 분명하다.

내가 잃어버린 친구는 지원이 아니라 지원이 새겨준 내 첫 타투, 가느다란 선과 파랑, 노랑, 초록의 염색약으로 이루어진 작은 트리케라톱스다. 이름은 '피망이'였다. 초식 공룡이어서. 선 안에 점 찍듯 넣은 색깔이 초록이고 파랑이고 노랑이어서 그렇게 지었다. 내가 피망을 절대로 먹지 않는다는 점도 그 이름을 붙일 수 있는 이유가 되었다. 좋아하고 자주 먹는 것으로 이름을 지을까 생각을 했지만 역시 뭔가 그것은 도덕적이지가 않았다…… 적당하지가 않았다. 떡볶이나 냉면이라고 이름을 붙인다는 건. 입에 잘 붙지도 않고 내가 그 음식을 너무 자주 먹는다는 점도…… 어쨌거나 피망이는 피망이가 되었다. 피망이는 우리가 쓰기 모임을 만들고 그 모임 구성원들의 사이가 가장 좋았을 때, 관계가 가장 촘촘하고 온도가 높았을 때 새기게 된 것이었다.

지원과 나는 모임 시작 시간보다 일이십 분 정도 일찍 오는 편이었다. 그날도 비슷하게 일찍 온 지원과 시시콜콜한 근황을 나누고 있었다. 나는 주로 회사에서 들은 어처구니없는 모욕들을 들려주었고 지원은 요즘 하는 타투 작업에 대해 이야기했다. 지원은 선 몇 개로 그릴 수 있는 가장 세련된 타투를 새기는 타투이스트였는데, 그즈음에는 왜인지 좀 귀여운 도안들을 그려보는 중이라고 했다. 그렇게 말하면서 자신이 쓴 글을 출력한 종이를 뒤집어 거기에 작고 가느다란 토끼, 고양이를 뚝딱 그리더니 곧장 토토로, 스누피 같은 캐릭터를 단번에 따라 그려 나를 놀라게 했다.

그림을 정말 잘 그리는군요?

놀란 나에게 지원은 더 놀라워하며 말했다.

저 미대 나왔는걸요?

나는 다른 곳을 보는 척했다. 아아 그렇구나…… 미대 나왔구나…… 지원을 좋아하면서 왜 그런 건 물어볼 생각을 하지 못했는지 모르겠으나, 나는 시종일관 그런 것에는 관심이 없었다. 나이, 학력, 전공, 가족관계 같은 것. 후에 차차 알고 싶어지긴 하겠지만 그때에도 그다지 중요한 건 아니었다. 그냥 알게 되어 알게 되는 정보 같은 것에 불과했다. 하지만 지원이 알고 싶었다면서? 그렇게 묻는다면 내가 궁금했던 건 뭘까, 어떻게 설명하면 좋을까, 그 사람을 이루고 있는 마음과 감정 자체 같은 것이었다.

어떨 때 힘이 나는지, 어떨 때 무기력해지는지, 어떤 사람을 좋아하는지, 나 같은 사람은 어떤지, 우리를 만나러 이곳에 오는 게 귀찮은지 가뿐한지, 그렇다면 왜인지, 누가 보고 싶어서 오는지, 아니면 글 쓰는 게 정말로 좋아서 오는지, 모임원 셋 중 가장 신뢰하는 독자는 누구인지, 그 사람과 단둘이 글에 대해, 자신에 대해, 서로에 대해 털어놓고 싶어지지는 않는지, 그리고 그게 나는 아닌지. 그런 것들. 돌아보면 온통 나에 관한 마음이 궁금했다. 이런저런 마음을 쌓고 있는 네가, 나를 좋아해줄 수는 없는지. 그럴 가능성은 없을지. 그런 것만이 궁금했다. 너는 끊임없이 누군가를 좋아한다고 하지만 정작 좋아하는 건 너밖에 없구나. 그런 말을 들어도 할말이 없었다.

지원은 자신을 닮은 웃음으로 나의 뻘쭘함을 지워버리고는 다시 물었다. 평소처럼 낮고 담담하게.

솔아씨는 어떤 동물 좋아해요? 새기고 싶은 동물 있어요?

지원이 그렇게 물어서 나는 신이 나서 대답했다. 좋아하는 사람이 뭘 물어주면 좋았다.

뿔 달린 동물이요. 몸에 새긴다면 뿔 달린 동물이면 좋겠다고 생각했어요. 코뿔소나 유니콘 같은.

그러자 지원의 얼굴에 재미있어하는 표정이 떠올랐다. 그런 순간이 좋았다. 내 이야기가 저 사람을 신나게 하는 순간. 표정으로 맞장구를 치는 것 같은 순간. 그런 순간이면 왠지 내가 조금쯤 저 사람 마음에 들었을 것 같다고 여겨지고 그러면 마음이 좀 놓였다. 그런 데서 안심을 했다. 너무 오래되어 언제부터인지 알 수도 없었다.

그거 좋다. 멋지다.

지원이 그렇게 말해서 나는 으쓱했다.

그럼 트리케라톱스는 어때요? 뿔이 세 개잖아.

그러면서 단번에 작은 트리케라톱스를 그렸는데 그 도안을 몹시 가지고 싶었다. 바로 이거야. 내 몸에 새긴다면 이 친구야. 뿔이 세 개나 달린 커다랗고 멋진, 초식

공룡. 그 멋진 친구는 뿔을 단 채로 귀엽게 웃고 있기까
지 했다.

저 이거 새기고 싶어요.

그렇게 말하자 지원은 진짜? 라고 묻는 얼굴로 나를
쳐다봤다. 그리고 진짜? 라고 하지 않고 정말로요? 라고
물었다.

정말로요.

나는 대답했다. 지원이 어디에 새기려고요? 라고 물
어서 나는 어물어물 왼 팔뚝 어딘가를 가리키며 여기요,
하고 대답했다. 어느 정도 크기로? 라고 물어서 또 꾸물꾸
물 손가락으로 작은 클립 정도의 크기를 만들어 보였다.
지원은 한 번 고개를 끄덕였다. 일하는 사람의 표정이었
다. 십만원인데, 하고 자신이 그린 트리케라톱스를 보더
니 오만원에 해줄게요, 라고 말했다. 아직 초기 시안이니
까. 그렇게 말했을 때 나는 반짝 기뻤다가 순간 시무룩해
진 것을 들키지 않기 위해 잽싸게 말해야 했다. 정말요?
그럼 제가 술 살게요! 오만원을 깎아주는 이유가 우린
친구니까, 가 아니라 아직 테스트 중인 시안이기 때문이
라니, 시무룩한 채로 시무룩한 티를 내지 않으려고 신나
는 목소리로 말했다. 진짜 살게요. 오만원어치…… 지원

은 휴대폰의 캘린더를 켜고 비는 시간을 훑었다. 그러다가 퍼뜩 정신이 든 것처럼 나를 보고 말했다.

아, 혹시 농담한 건데 제가 오버하는 거 아니죠? 농담이면 빨리 말해주세요.

나는 도리도리 고개를 저었다.

진짜예요. 주말 아무 때나 갈게요.

제가 지원씨한테 하는 말은 전부 진짜예요. 마지막 말은 삼켰다. 좋아하는 상대가 나에게 짓는 뜨악한 표정, 내가 가장 무서워하는 건 그런 것이다.

그다음 주에 나는 바로 상수역 부근에 있는 지원의 가게로 갔고, 팔뚝에 작은 트리케라톱스를 새기는 일은 십 분도 걸리지 않았다. 오 분? 칠 분? 기억이 잘 나지 않는다. 다만 왼쪽 팔뚝에 힘을 빼려고 애쓰며, 내 팔목을 잡은 지원의 손과 잉크가 든 기계를 잡은 다른 손이 움직이는 모습을 감탄하며 쳐다본 기억, 내 쪽으로 쏟아지는 지원의 단발머리가 너무 예쁘다고 생각하면서. 농담을 하고 싶은데 마음처럼 되지 않아서 집중한 지원에게는 들리지도 않을 말을 힘없이 웅얼거리던 것은 기억한다.

피망이를 새기는 일을 마치고 지원은 나에게 바셀린과 소염제를 내밀었다. 약은 오늘 먹고, 이삼일 정도는 물에 닿지 않게 하고, 바셀린 꼭 발라주세요. 나는 혹시 나 나의 작은 트리케라톱스가 덧날까봐 그 말을 꼭 지켰다. 바셀린을 바르면 마른 피부 위에서 건조함에 혀를 빼고 헐떡이던 피망이가 반들반들 윤이 나고 색이 진해지고 숨통이 트이는 게 느껴지는 것 같았다. 그렇게 바셀린을 듬뿍 먹고 피망이는 내 피부에 잘 스며든 것 같았는데. 자리를 잘 잡고 어디로도 가지 않을 줄 알았는데. 피망이는 어디론가 사라졌고 한 알만 먹고 다섯 알이 남은 소염제 역시 어디로 갔는지 잃어버렸지만 바셀린은 아직 가지고 있다. 손톱만한 피망이에게 바르기엔 터무니없이 많은 한 통의 바셀린. 나는 몸의 까칠한 곳에 애써 바셀린을 바르지 않는 사람이어서 바셀린은 묵직한 용량 그대로, 고스란히 남아 있다.

우리가 함께한 작은 일들을 떠올려본다. 바다를 보러 가자고 말했다. 이왕이면 동해 바다를 보러 가자고. 진짜로 간 건 아니었다. 그런 걸 계획하며 기뻤다. 그 자체로 행복한 문장들. 한강을 걷고 맥주를 마시고 다리를 건넜다. 그건 우리가 진짜로 한 일들이었다. 모임이 끝난 뒤나, 모임이 없는 날 나의 퇴근 시간과 지원의 퇴근 시간이 얼추 맞으면, 혹은 맞지 않아도 내가 지원의 가게로 가서 지원이 끝나기를 기다렸다가 함께 나와서 밤거리를 걸었다. 맥주를 들고 공원을 걷다가 다리까지 건너게 되는 날도 있었다. 주로 금요일이었다. 빛나는 물이 우리 아래에 있었다. 아주 오랜 시간 동안 우리는 물 위에 있었다.

어느 날은 동호대교를 걸어서 건넜으므로 다리 건너편으로 남산타워가 보였다. 남산타워는 이렇게 볼 때가 아름답지, 저길 굳이 왜 가려고 했을까. 다리를 건너며 좋아 보이는 것과 진짜 좋은 것을 몰랐을 때의 나를 떠올렸다. 나는 남산과 가까이에 있는 대학을 다녔는데, 학부 시절 만났던 시답지 않은 남자친구와 자물쇠를 걸러 간 적이 있었다. 내 과거는 대체로 소중하지 않았다. 그 시간을 통과해 남은 이들이 별로 없기 때문이었다. 나는 내가 늘 시간을 견디고 흘려보내왔다고 생각했다. 발을 단단히 땅에 붙이지 못하고 흔들리면서. 진짜 나를 발견하지 못하고 진짜 나를 보여주지 못하면서.

갑자기 생긴 피망이가 사랑스럽고 생생해서 나는 자주 사진을 찍었다. 혹은 나를 찍으면 자연스럽게 함께 나오는 피망이의 모습에 애틋함을 느꼈다. 우리 지금 같이 있어. 그렇게 혼자서 생각하며 마음이 뻐근해지는 걸 느꼈다. 그리고 또다시 스스로에게 무수히 했던 질문을 해보게 되는 것이다. 좋아한다는 건 뭘까. 좋아하면 왜 이다지도 함께 있고 싶을까. 피망이가 생겨서 그걸 핑계 삼아 지원과 더 자주 이야기할 수 있게 되기도 했다. 지원은 이미 몸 여기저기에 타투들이 있었는데, 굉장히 의미 없이 새긴 것도 있고 평생 지니고 싶어서 새긴 것도 있고 무의미와 유의미가 뒤섞여 있다고 했다.

내가 지원의 몸에 있는 타투 중 가장 좋아했던 것은 엄지손가락에서 손등으로 연결되는 부분에 작게 새겨진 나무였다. 그것은 지원의 도안인 것이 분명하게 아주 심플했다. 잎사귀가 풍성하거나 초록색 염료가 들어가거나 동글동글한 모양이 아니라 뾰족하고 간단했다. 세모 세 개에 직선 하나로 이루어진 나무였다. 아이스크림 콘 세 개를 겹쳐 쌓아놓은 것처럼 세모 세 개가 겹쳐져 있었고, 맨 아래 세모에 직선이 찍. 세모 모양 떡을 꽂은 당고 같기도 했다. 그건 너무 지원과 잘 어울려서 모른 척할 수가 없었다. 하필 엄지손가락과 손등 사이에 있는 것까지도. 왜 거기에 나무를 새겼어요? 하고 묻자 지원은 긴 손가락으로 한번 오른손의 나무를 슥 만져보더니 대답해주었다.

요즘 저는 나무 같은 것들만 좋아요. 다른 건 다 별로
고.

그 대답을 듣고 약간은 마음이 미어지는 것 같았지만
입술을 꾹 다문 채로 고개나 끄덕일 뿐이었다. 사람도
조금은 좋아하면 안 돼요? 하고 조르고 싶은 마음이 새
어나가지 않게. 나도 모르게 말해버리지 않도록 팔짱을
끼는 척하며 나도 나의 피망이를 만졌다.

근데 이 나무, 피망이가 좋아하겠다.

그렇게 말하며 지원은 자신의 오른손을 내 왼팔목에
가져다 댔다. 그 접촉의 순간을 기억한다. 지원의 길고
마른 손에 새겨진 흑백의 나무가 내 팔목에, 초록과 파
랑과 노랑으로 알록달록한 피망이에게 닿았던 순간. 팔
과 팔이 닿느라 움직여서 어깨와 어깨도 함께 가까워졌
던 순간. 피망이를 새기던 순간부터 나는 자주 지원과
거리를 좁힐 수 있었고, 그게 좋았다. 한없이 단순한 모
양의 나무와 얼마간 단순한 모양의 초식 공룡이 붙어 있
는 것이. 약간 가무잡잡한 지원의 팔뚝과 흰 내 팔뚝이
닿아 있는 것이.

우리 이거 사진 찍어요.

지원이 제안해서 나는 반색을 하며 찰칵찰칵 몇 장을 찍었고, 마음에 드는 사진을 골라 동시에 각자의 인스타그램에 올렸다. 이제 그 사진은 이후로 올린 수많은 사진들 밑에 깔려 있고 나는 그 사진만 생각하면 마음이 바빠진다. 네모난 사진들을 올리고 올려 재작년 그 사진을 마주하면 어김없이 조금 멍해진다. 영원히 남는 건 인터넷 세계의 그 사진밖에 없나. 살갗에 새긴 것도 실제로 만나 떠들고 손잡고 웃은 사람도 다 사라지면.

*

사랑받고 싶던 사람이 선택하는 차선은 사랑하기이다. 사랑받기 위해서 사랑을 한다. 사람은 대체로 자신에게 호감을 보여주는 사람을 좋아한다. 자신을 좋아하는 이를 밀어내기란 쉽지 않다. 닫힌 문 뒤, 나만의 세상이 빈약했던 나는 그 한 가지의 스킬을 문에 걸었다. 속이 비었으면 밖이라도 갈고 닦겠다는 마음으로, 타인에게 부담스럽지 않은 선에서 먼저 호감와 애정을 보여주는 사람이 되었다.

지원처럼 내면에 많은 것을 품고 있는 사람들은 대체

로 허랑하게 나서서 자기 이야기를 풀어내지 않는 성격
으로, 자연스럽게 말수가 적고 첫 만남에서 조용한 타
입들이 된다. 나는 그런 사람들이 말문을 열기 어려워할
때 먼저 안부를 묻고 농담을 던지며 자기 이야기를 스스
럼없이 하는 사람으로, 얼핏 보기에 활달하고 구김 없는
성격으로 보이는 기술을 연마했다. 지원과의 첫 만남에
서도 마찬가지였다. 성인이 되고 한참이 지나서도 사람
들은 자기소개를 어려워했고, 나는 그저 반대로만 하면
되었다. 얼마간의 솔직함, 얼마간의 쾌활함.

보였던 대로 떠올려볼까. 지원은 그 속에 뭔가 품고
있는 것이 분명해 보였다. 그러나 그것을 품은 모양 그
대로 아무나에게 털어놓을 마음은 전혀 없어 보였다. 나
는 대체로 그런 사람들에게 끌렸다. 담담한 표정으로,
그 닫힌 문 뒤에 생생하고 상상할 수 없는 자기만의 세상
을 가지고 있는 사람들에게. 평범해 보이지만 슈트 케이
스 속에 전설 속 동물을 담아가지고 다니는 마법사 같은
사람들. 그 사람들의 이야기가 궁금했다. 나에게 그들의
이야기를 털어놓았으면, 하고 바랐다.

누군가를 좋아한다는 사실을 티 내는 방법은 아주 오
래전부터 그리 달라지지 않은 것 같다. 선물과 칭찬, 그

리고 동의. 나는 지원이 생각지도 못한 순간에도 촘촘히 지원을 생각했으므로, 지원을 떠올리며 작은 물건들을 샀고 그것을 지원에게 건네거나 건네지 않았다. 정말 작은 것들이었다. 지원이 싫어한다고 했던 건포도 대신 건크랜베리가 들어 있는 하루 견과나 딸기우유 맛 사탕, 지원이 좋아할 법한 마스킹테이프나 그림엽서 같은 것. 그리고 지원의 글을 진심으로 칭찬했다.

지원은 내가 절대 쓰지 않는 단어들을 썼다. 고드름, 환각제, 카시트 같은 말. 옥탑, 선풍기, 입욕제, 게으름 같은 말을. 내가 쓰는 단어들은 이런 것이었다. 생각, 나, 우리, 이름, 그런, 기분, 모양, 마음. 우리가 몰두하는 것은 이토록 달랐으나 나는 지원이 한 대부분의 감정 표현이나 의견 표명에 동의했다. 끄덕이며 맞장구를 칠 때면, 지원을 이해한다고 믿었다. 진심으로 우리의 생각이 같다고. 언젠가 내가 지원에게 지원씨는 왜 써요? 하고 물었을 때 지원은 잠시 생각하다가 대답했다.

처음 생각해보네…… 버리려고? 머릿속에 생각이 너무 많이 들어 있으면 자꾸 무거워서. 그걸 덜어내려고 쓰는 것 같아요.

자신의 대답이 마음에 들었는지 옅은 미소를 띤 얼굴

이었다. 지원은 그날 제출한 에세이를 출력한 종이로 종이배를 접으며 무심히 말했다.

확실히 버려지는 거 같아요. 그러면 좀 후련해지고.

아아.

나는 그 말에도 공감하는 얼굴로 고개를 끄덕였지만, 실은 전혀 공감하지 못한 채였다. 만약 지원이 나에게 솔아씨는요? 하고 되묻는다면 비슷해요, 저도 그래요, 하고 대답할 참이었다. 그러나 거짓말이었다. 그런 대답은. 버리려고 쓰다니. 털어내려고 쓰다니. 나는 갖고 남기고 기억하려고 썼다. 잊지 않으려고. 잊기 전에 남기려고. 남겨서 가지고 있으려고. 나는 아직도 거짓말과 진심이 딱 달라붙은 순간을 잘 구분하지 못한다. 거짓말은 다른 게 아니라 나 스스로를 속이는 행위다. 지금 내가 하는 말이 진심이라고 진심으로 믿는 것. 거짓말은 진심으로 나온다.

그런저런 수를 쓰지 않고 나도 그저 나이고 싶은데, 무엇보다 나일 때의 나를 좋아하지 않을까봐 두려웠다. 내가 지닌 어쩔 수 없는 성격 같은 것들이 상대를 질리게 하고 실망스럽게 해 서서히 멀어지게 될까봐 겁이 났다. 그동안 그런 것에서 꽤 많이, 벗어났다고 생각했다. 지원을 만나기 전까지. 나는 내 생각보다 훨씬 지원을 좋아했다.

*

작년 늦여름이었다. 장마철이어서, 비가 많이 내려서, 비가 내릴 때면 나는 노인처럼 팔이 쑤시고 저려서 전보다 자주 팔을 들여다보게 되었다. 그러다가 알게 된 것이다. 피망이가 조금씩 흐릿해진다거나 반대로 짙어진다거나 하는 기미를. 피망이가 걷고 앉고 움직인다는 사실을. 이미 늦여름 전부터 내 팔목부터 팔꿈치까지는 피망이의 놀이터, 침대이자 정원, 옥상이자 터널이었던 것같다. 깊은 밤, 볕을 쬐지 않아 바깥쪽 팔뚝보다 훨씬 하얀 팔뚝 안쪽을 자세히 들여다보면 어슴푸레하게 보이는 파란 핏줄들 사이로, 가장 적당한 곳에서 잠을 청하기 위해 안정감이 들 때까지 엉덩이를 움직이고 짧고 통통한 다리를 구부리며 자리를 잡는 피망이가 보였다. 귀엽고 한없이 사랑스럽다가 왜인지 슬퍼지곤 했다. 너무 연약해 보여서였을까?

멍한 오후에 사무실에서 업무 메일을 쓰다가 문득 팔

뚝을 뒤집어보면 피부 위에 잎맥처럼 비치는 핏줄의 끝을 우물우물 씹고 있는 피망이가 보였다. 그럼 쟤는 내피를 먹는 건가, 아니면 습관처럼 나뭇잎을 먹는 흉내를 내는 건가, 진짜로 피를 먹진 않겠지 그렇다면 빈혈이왔을 테니까, 하고 생각하다가 곧 다시 팔뚝을 뒤집어쓰던 메일을 이어 쓰곤 했다.

그렇지만 피망이가 그길로 사라질 거라는 생각은 한적이 없었다. 피망이가 사라진 걸 먼저 발견한 사람은지원이었다. 여느 날처럼 모임이 시작되기 전 먼저 도착해 나와 마주앉아 있던 지원이 손가락으로 내 팔목을 가리키며 눈을 동그랗게 떴다.

어? 거기.

나는 나도 모르게 오른손으로 왼손목을 가렸다. 왜 그랬을까? 피망이가 춤이라도 추고 있었을까봐? 스스로도 그런 행동이 의아해서 이내 가린 손을 치우고 내 팔목을 들여다봤을 때, 피망이는 없었다. 너무 놀라서 소름이 돋고 머리칼이 쭈뼛 솟았다. 차라리 춤을 추고 있지 그랬어. 그 짧은 순간에도 피망이에게 원망스러운 감정이 들었다. 그러니까 아주 중요하고, 소중한 것이 사라진 것이다. 나는 거의 울 것 같은 얼굴이 되었다. 허전해

진 팔목부터 열이 오르기 시작해서 내 얼굴은 삽시간에
달아올랐다. 울지 않기 위해 애써야 했다. 그런 내 표정
을 보더니 지원이 별안간 웃음을 터뜨렸다.

솔아씨, 지금 표정 너무 웃겨!

아니…… 그게……

잃어버린 거예요?

지원이 평상시와 다름없이 담담하게 말해서 나는 어
쩐지 더욱 한마디도 할 수 없게 되었다. 차라리 같이 놀
라주지. 타투 인생 오 년 만에 이런 일이! 하고 같이 놀라
주지…… 피망이에게 느끼던 원망의 감정은 어느새 지
원에게 옮겨가 있었다.

괜찮아요. 지워졌나보다.

지원은 너그럽게 말했다. 아무렇지도 않게 손을 뻗어
하얗게 비어버린 내 왼팔 한가운데를 길고 예쁜 손가락
으로 슥 쓸었다. 지원은 손이 찼다. 아직 열이 가시지 않
아 뜨거운 팔목 한 부분이 시원해졌다. 지원이 곧 손을
치웠고 나는 테이블 아래로 팔을 내렸다. 우리는 더이상
그 일에 대해 이야기하지 않았다. 피망이가 사라진 것
에 대해서. 어쩌다 그랬을까? 하고 머리를 맞대고 추리
하지 않았다. 평소라면 같이 헛소리를 하며 깔깔 웃었을

것이다. 혹시 최근에 헌혈한 적 있어요? 헌혈하면서 색이 빠져나갔나? 아님 수영장 갔어요? 소독을 엄청 한 물에서 수영하다가 애가 지워진 거지, 하면서 온 얼굴로 웃었을 것이다. 그러나 그러지 않았다. 지원이 입을 다물어서 나도 입을 다물었다. 그러나 속에서, 목 끝까지 뜨거운 것이 끓고 있었다. 다시 새겨주겠다고 왜 얘기 안 해줘요. 나는 서운했다. 언제나 그런 것이 서운했다.

나는 그날 모임 내내 말이 없었고, 괜찮은 척했지만, 아무렇지 않은 척했지만 애가 탔다. 피망이를 꼭 되찾고 싶었다. 그래서 아무도 모르게 이곳저곳 병원을 다니기 시작했다. 피망이가 숨은 곳을 찾아내기 위해서. 일단 내 몸속 먼저 샅샅이 뒤져보기로 했다. 버스를 타고 가다 아무 동네에서나 내려 지도에 검색되는 정형외과로 들어갔다. 손목이나 발목을 접질렸다고 대충 둘러댔다. 엑스레이 사진에서 피망이의 작은 뿔을 발견하게 되기를 바랐지만 팔과 다리에는 없었다. 치과에 가서 교정 상담을 받기도 했다. 이 사이에 피망이가 끼었을 리는 없지만 어쨌든. 주희는 모임을 갖는 내내 교정중이었는데 어느 날 그가 치아 엑스레이를 다시 찍었거든요, 하는 말을 듣고 쫑긋했던 것이다.

강남까지 가서 교정 상담을 받고 치아 엑스레이를 찍었지만 잇몸에도 경구개에도 연구개에도 목구멍에도 피망이는 없었다. 힘들고 귀찮던 병원 순례는 영상의학과에 가는 것으로 종료되었다. 요즘 가슴이 좀 아파서요, 하고 데스크에 접수를 한 뒤 유방과 겨드랑이 초음파를 했다. 피망이는 찾지 못했고 유방에서 작은 종양 서너 개를 발견했다. 뭉글뭉글 보이는 화면에 흰 덩어리들이 잡혔을 때 나도 모르게 벌떡 일어나려고 했던 것, 실제로는 몸을 일으키지는 않은 채 어깨를 움찔 떨었던 것을 기억한다. 가슴에서 피망이가 돌아다니는 줄 알았기 때문이다. 차가운 젤을 수건으로 닦고 나서 애꿎은 가슴만 꾹꾹 눌러보았다.

그렇게 모르는 거리를 헤매는 동안 더웠던 바람이 식어갔다. 완전히 가을로 접어들고 있었다. 그리고 그것은 지원이 인스타그램에 '좋아요'를 잘 누르지 않게 된 무렵. 더이상 모임 시간보다 일찍 도착해서 나와 잡담을 하지 않게 된 무렵. 어쩌다 일찍 오더라도 우리 사이가 음 높은 웃음이 아니라 침묵으로 채워진 무렵. 모임이 끝나고 저녁 같이 먹을까요? 하는 내 물음에 곤란한 표정으로 아, 오늘 약속이 있어서……라고 연달아 거절한 무렵.

어떤 친구와 멀어질 때, 상대방이 거리를 둔다는 것만 느낄 뿐 정확한 이유에 대해서는 물어본 적이 없다. 다만 버터 같은 것일까. 나는 버터를 너무 좋아했다. 버터를 둘러 빵을 굽는 것, 버터에 계란프라이를 하는 것, 버터에 크래미를 굽는 것, 굽지 않은 빵 위에 버터를 올리는 것, 밥에 버터를 넣고 간장과 비비는 것, 버터에 설탕을 넣고 스프레드를 만들어 빵에 발라 먹는 것, 버터로 구운 팬케이크 위에 또 버터를 올리고 시럽을 뿌려 먹는 것을 전부 좋아했다. 그런데 그렇게 좋아해서 먹을 수 있을 때까지 먹고 나면 언제나 너무 느끼해서 머리가 어지러운 느낌까지 들었다. 지원과 멀어졌을 때 버터가 떠올랐다. 내가 너무 버터처럼 굴었을지도 모른다는 생각이 들었다. 느끼하게 굴거나 어지럽게 굴었을지도 모른다고.

왜 멀어졌나를 알고 싶지 않아서, 지원이 나를 멀리하는 이유가 나 자체일 것이 너무 무서워서, 거절당할까봐 두려워서 더욱 말을 걸지 못하고 묻지 못하다가 우리는 멀어졌다. 나는 늘 그래왔듯 또 한 명의 친구가 나에게서 멀어진 것뿐이라고 생각하려고, 나는 이제 그걸 받아들일 수 있는 사람이 되었다고 생각하려고 애썼다. 관계에도 단계가 있어서 깊어지는 시기와 멀어지는 시기가 있다고, 그 사실을 충분히 받아들였다고, 멀어지면 멀어질 뿐이라고 생각했는데, 정말 그렇다고 믿었는데 또다시 마음이 아팠다. 오랜 친구가 되고 싶던 사람에게, 더 가까워지길 바랐던 사람에게, 지원에게 그 기미가 보이는 것은 생각보다 훨씬 더 고통스러웠다.

그렇지만 내가 달리 뭘 더 할 수 있었나? 지원에게 묻지 못해서 나는 스스로에게 수없이 물어보았다. 내가 알맹이 없는 껍데기처럼 여겨졌지만 이게 나의 최선이라는 걸 알았다. 우리가 조금 더 어렸을 때, 내가 여전히 껍데기이면서 타인에게 호감을 주는 기술조차 연마하지 못했을 때, 그저 우물쭈물하고 소극적으로 나를 좋아해줘, 하고 속으로 외치던 시절에 지원과 만났다면 어땠을까. 나는 알았다. 나는 안다. 이 정도로도 겹치지 못했을 것이다. 지원을 지켜보기만 했을 것이다. 알맹이를 지닌 멋진 친구가 그의 주눅 들지 않은 다른 친구들과 시원하게 웃고 고요하게 혼자 집중하는 모습을 그저 지켜봤을 것이다. 혼자서 음울하게. 저 멋진 친구가 왜 나를 좋아할 수 없는지에 대해 백 가지 이유를 대면서. 사소한 불행이 빚은 내 성격을 꼽아보면서. 아마 졸업식 때까지 친구가 될 수 없었을 것이다. 혹은 지원이 나에게 아주 작은 호의를 베풀고 내가 고마워했을지도 모른다. 교과서 없니? 같이 볼까? 하고 지원이 말하면 내가 기어들어가는 목소리로 고마워, 하고 대답할 것이다. 혹은 내가 베풀 수도 있었을 것이다. 내 옆자리가 지원의 친한 무리 중 한 명이어서, 짝을 지어 활동을 해야 하는 수업 때면 내가 먼저 용기를 내어 자리 바꿔줄까? 하고 물을 수 있었을 것이다. 그러면 지원이 상냥하게 고마워, 하고 대답하겠지. 나는 내 자리와 그 옆자리가 비로소 다정해 보이는 장면을 교실 뒤에서 지켜보았을 것이다. 나는 왜 저 단둘일 수 없나, 생각하고 또 생각하면서. 왜 내 옆자리는 늘 비어 있고 심지어 내 자리조차 비어 있다는 느낌이 드는지 초조하고 두려운 마음으로 질문하면서.

그러니까 이게 최선인 것이다. 서른 해 가까이 살았으니 그만큼 쌓아온 최선을 다해 지원을 좋아했다. 그리고 그만큼 지원도 나를 좋아했으면 좋겠다고 바랐다. 내가 많은 걸 바란 건가? 그럴지도 모른다고 생각했다. 아직은 최선을 다해 좋아할 때지, 좋아해주길 바랄 때가 아니라고. 그런데 그런 때가 오기는 할까?

　금세 오지 않는 답장, '좋아요' 목록에 없는 지원의 아이디, 더이상 먼저 와서 나를 기다리지 않는 지원, 내가 보내는 물음표에 언제나 말줄임표로 거절하는 지원…… 그러니까 그것은 힌트 같았다. 괴물이 있는 곳으로 안내해주는 아리아드네의 실, 헨젤과 그레텔이 뿌려주는 빵 같기도 했다. 그 뒤를 따라가면…… 황소 머리를 한 괴물이 있듯 마녀의 집이 있듯 끝이 있었다. 지원은 우리가 해오던 모임을 그만하겠다고 말했다. 그건 넷이 모인 단톡방에 장문의 메시지로 왔다. 그걸 마지막으로 지원은 사라졌다. 우리의 반응을 기다리지도 않았다. 나에게는 그것이 피망이가 사라진 것보다 환상적이고 비현실적이었다. 내가 지원을 하나도 모른다는 사실. 지원에게 내가 인사도 나누지 않고 떠날 수 있는 사람이라는 사실이.

*

　사라져버리기 전까지 피망이는 분명히 움직였고, 날마다 다른 색깔로 진해지기도 했다. 그건 또 어떤 이유에서지? 전날 술을 많이 마시면 테두리를 그린 검은 선이 가장 진해 보였고 운동을 조금 열심히 한 날에는 파란 부분이 도드라졌고 단것을 좀 많이 먹은 날에는 초록색이 유독 빛나는 것처럼 보였다. 참지 못하고 조금 오래운 밤이면 노란 부분이 점점 번져 검은 테두리 밖으로 흐릿하게 퍼지기도 했다. 그러나 꼭 매번 그런 것도 아니어서 변수를 체크해가며 정확한 원인을 알고 싶어했으나 결국 찾지 못했다. 그저 게릴라식으로 어느 날은 노란색 염료가, 어느 날은 파란색 염료가, 또 어느 날은 초록색 염료가 가장 진해졌다. 나는 세 마리의 피망이와 함께 사는 것인가? 생각해보았다. 피망이가 세 마리라. 그건 생각보다 든든한 느낌이 아니었다. 어느 하나도 제대로 알고 있지 않다고 여겨졌으므로.

한 가지 색깔이 진해진 피망이를 손으로 쓰다듬어보면 손가락에도 그 색이 묻어날 것 같았다. 어쩐지 손끝에 찐득하니 붙는 느낌도 들었다. 그러고 보면 내가 잘 때 누군가가 내 팔목에 있는 피망이에 대고 자기 손가락을 꾹 누른 게 아닐까? 그래서 안간힘으로 버티던 피망이가 내 팔목에서 다른 사람의 손가락이나 다른 어딘가로 옮겨간 것이다. 젤리나 슬라임 같은 점성이 있는 물

질들이 그렇게 붙어서 옮겨가듯이. 바닥에 떨어진 머리카락이나 먼지를 손끝으로 꾹 눌러 집어 들 듯이.

피망이는 혼자 떠난 걸까, 누군가에게 옮겨간 걸까.

지원이 떠나고 한동안 긴장감 없이 유지되던 모임은 결국 스르르 해체되었다. 단톡방에서 지원이 사라지자 나는 더이상 일대일로도 지원에게 말을 걸 수 없었다. 지원과 나누던 수많은 이야기들은 왜 사라져야 해요? 하고 묻지도 못한 채 사라졌다. 나는 취향 이상으로 지원을 좋아했지만, 항상 취향 위주의 주제로만 대화가 빙빙 돌던 탓에 오히려 다짜고짜 무슨 일 있어요? 하고 묻지 못했다. 스타벅스의 신메뉴, 한가람미술관의 전시, 요즘 좋게 읽었던 쓰기에 대한 책, 네가 좋아할 것 같은 빈티지 블라우스 같은 것들. 우리가 시간을 들여 알게 된 서로에 대한 것들도 대화가 사라지며 함께 사라지게 되는 것이었다.

나는 아마도 한 밤을 자고 나면, 다시 약간 번진 가느다란 선에 몸통이 초록이고 파랑이고 노랑인 피망이가 팔뚝 어느 중간 즈음에 돌아와 있을지도 모른다고 생각했다. 아무도 이유를 모르게 사라졌던 것처럼, 다시 돌아오는 이유도 모르겠지만 알 수 없는 일은 그래서 생기는 거니까. 피망이는 돌아올까? 끊어졌던 친구와 다시 이어질 수 있을까?

그리고 가끔은 이런 상상을 구실로 지원에게 다시 연락을 해볼까 생각했다. 지원씨 잘 지내요? 그때 피망이 사라졌던 거 기억나요? 또 그런 제보 받은 거 없어요? 타투가 증발한 사례는 제가 최초인가요? 그런데 말이에요, 피망이가 돌아왔어요. 어디서 많이 고생했는지 좀 마른 것 같기도 하고, 반대로 좀 큰 것 같기도 하고. 그렇잖아요, 햇수로 치면 얘가 벌써 세 살이잖아요. 지원씨는 잘 지내요? 돌아올 생각은 없고요? 피망이가 돌아왔다는 말은 거짓말이지만 지원이 돌아오는 일은 사실일 수도 있지 않을까, 그런 생각으로 말을 지어내다보면 심장이 빨리 뛰고 있는 것이 느껴졌다.

하지만 그 모든 말들은 여전히 내 안에서만 맴돌았고, 한 번도 보내본 적은 없었다. 지원의 카톡 프로필은 비어 있었다. 어떤 사진도 없었다. 지원은 지금 어디에 있을까. 내가 지원에 대해 알고 있는 것들이 있다. 지원이 근무하는 가게도 알고 있다. 그곳으로 찾아가면 아직 거기에서 일하고 있는지, 혹은 거처를 옮겼는지도 알 수 있을 것이다. 그러나 찾아갈 수 없다, 확신할 수 없는 마음들이 많지만 찾아가서는 안 된다는 마음만은 선명하게 확신한다. 우물쭈물 찾아가서 할말이 없을 것이다. 할말이 없으면 사라진 피망이 얘기를 하겠지. 쓰다가 차마 보내지 못한 문자 내용을 그대로 말하지는 못하고 그저 손님처럼 굴 것이다. 고장난 기계 인간처럼 뻣뻣하고 부자연스럽게, 지원씨 사실은 피망이가 돌아오질 않아서요…… 다시 똑같이 그려줄 수 있나요? 하고 웅얼거릴 것이다. 그러기는 싫다고 생각했다. 찾아가도 피망이가 다시 돌아온 다음에, 하나도 변한 것이 없는 것처럼, 빈 부분이 없는 것처럼 찾아가야 한다고 생각했다.

*

내가 끙끙 앓던 것들을 담백하게 알려주는 이들이 있다. 올해 4월이었다. 셋만 남은 단톡방만 남겨놓은 채 모임이 흐지부지 사라진 후, 한참이 지나 여전히 치아 교정중인 모임원 주희가 오랜만에 만나자는 제안을 해서 모이게 된 날이었다. 4월이면 봄이 다 되어가는 달이라고 생각했는데 전에 없이 추웠다. 이런 추운 날씨에서 단 이 주만 지나면 지원을 처음 만났던 그때, 덥고 더워서 밤새 맥주를 마셨던 초여름 날씨가 된다는 게 믿기지 않았다. 우리는 여전히 두꺼운 외투를 입고 있었다. 주희는 귀여운 칼라가 달린 갈색 코트를, 여전히 글을 쓴다는 남자 모임원은 숏패딩을 입고 나타났다. 그런 건 아무래도 상관없었다. 지원의 이름을 내뱉기까지 마음이 아팠다. 벌써 몇 개월이 지났는데도.

지원씨는 아무래도 안 오겠죠?

그러자 주희가 말했다.

네, 대신 안부 전해달래요. 그때 미안하고 고마웠다고.

오지 못하는 이유는 조금 의외였다.

지금 좀 멀리 있어서 시간 내기가 힘들다고, 전주인가 광주인가 그랬는데……

그러고 나서 처음 듣는 지원의 이야기를 알려주었다.

지원 언니요, 그때 친구가 죽었대요. 안 그래도 우울증 증세가 있던 친구였는데, 그래서 한참 신경을 쓰고 시간을 쏟고 있던 때였는데 같이 술 마시고 새벽에 헤어진 날 그 친구가 도로를 건너다가 사고를 당했대요. 친구네 가족을 도와서 장례 치르고 급격하게 우울해져 지내는 동안 애인이랑도 헤어졌고요. 여러모로 사람들한

테서 피해 있고 싶던 시기였나봐요. 그런 때가 있잖아
요. 사람들한테 자기를 설명하고 싶지 않을 때. 아직 서
울 오기 좀 그렇대요.

나는 그 얘기를 듣는 내내 테이블에 코를 박고 있었
다. 남자 모임원이 쓸쓸한 표정으로 어렵게 어렵게 무슨
이야기를 시작하고 나서야 슬며시 고개를 들었다. 서로
가 아무런 잘못을 하지 않았는데도 헤어지곤 한다는 사
실을 잊고 있었던 사람처럼. 그걸 왜 나한테는 얘기하지
않고 주희에게는 얘기했을까? 그런 생각을 하는 스스로
가 너무 멍청하게 느껴졌지만, 대답하기 위해서는 먼저
물어야 했다. 내가 묻지 않았으니까. 지원씨 무슨 일 있
어요? 혹시 힘든 일이 있나요? 하고 묻지 않았기 때문에
말해주지 않은 것이다. 나는 이기적이게도 지원이 내 잘
못, 내가 생겨먹은 꼴 때문에 떠난 게 아니라는 사실에
안도했고 동시에 그런 회로로만 작동하는 내 뇌를 꺼내
서 좀 어떻게 하고 싶은 마음이 들었다. 그러니까 그게
잘못이 아니라고 할 수 있나. 물론 어디까지 다가가야
할지 모르는 것이 내 잘못은 아니지만, 그것이 완전히
잘못이 아니라고 하기에는 이미 지원을 잃은 후인 것이
다. 그런 건 다른 누군가를 탓할 수 없으므로 결국 내 탓

이 되는 것이다. 잃은 이유를 알지 못하지만 이미 나는 그를 잃었다는 것, 그것만이 내게 남은 진실이고 사실이었다.

*

　내가 사는 동네, 구주택들이 늘어선 오래된 골목에는 항상 대문 앞에 버려진 듯, 그러나 버려졌다고 하기에는 멀쩡한 의자들이 하나씩 세워져 있었다. 그 앞과 대문과 담벼락 주변에 커다랗고 무성한 잎을 틔운 화분이 즐비하게 늘어선 걸 보니 저 의자는 앉는 곳이 맞는구나, 저기에 앉아서 잎을 솎고 물을 주고 쉬고 골목과 사람을 구경하는 거구나, 하고 이해하게 되었다. 나이가 들면 대문 밖 의자에 앉아서 지나가는 사람을, 자라나는 화분의 나무들을 구경하면서 시간을 보내는 사람이 되는 걸까? 나도 어느 날 갑자기 집안에 있던 의자를 밖으로 가지고 나와 대문 앞에 두고 거기에 가만히 앉는 할머니가 될까? 그러나 상상력이 부족해서 곧 그만두었다. 살아보지 못한 생을 상상하는 것은 흥미롭기도 덧없기도 했다. 그래서 언제나 지나간 것만 생각하나봐. 물론 지나간 일도 완벽하게 복기하는 것이 아니므로, 살을 떼었다 붙이고 마음대로 섞어 편집하여 생각하므로 기억도 상상인 것이라고 결론 내려왔지만 어쨌든 앞으로 가는 시간은 상상하지 못하고, 뒤를 돌아보기만 했다.

집 앞 골목길로 사람들은 종종 새벽 세시가 되도록 노래를 하고 고래고래 친구를 부르고 욕을 하고 오르막길을 뛰어 올라간다. 오늘도 그 소음이 건물 벽을 타고 삼층인 나의 집 창문으로 고스란히 쏟아져 들어온다. 바로 옆에서 소리치는 것처럼, 노래하는 것처럼, 욕을 하는 것처럼 생생하게 들린다. 내 삶에 중요한 단 한 사람, 구체적인 어느 한 명과 긴밀하게 엮여 있을 때만큼 강렬하게 그런 생각이 든다. 나는 혼자 살고 있지 않다.

밤이 깊어지자 비가 내린다. 여름인데도 찬 기운이 드는 것이 반가워서 나는 또 방안의 창문을 전부 열어놓고 비가 몰고 오는 바람을 느끼고 비가 땅에 벽에 부딪히는 소리를 듣는다. 나는 비가 쏟아지는 날 창문을 활짝 열어두는 것을 좋아했다. 그 아래 서랍장 위에 노트북을 놔두고 책들을 쌓아두면서도 그 버릇을 고치지 못했다. 창으로 들이친 비에 흠뻑 젖어 책이 우글쭈글하게 되어도, 노트북 위로 흥건하게 물이 고여도. 내가 가진 걸 다

망가뜨리거나 못 쓰게 만든대도 바깥에서 들어온 비라는 것, 흠뻑 적시는 것, 힘찬 기세로 내려 집중할 수밖에 없도록 만드는 것이 좋았다. 나는 언제나 속수무책이라는 말을 좋아했다. 전형적인 것도 좋아했다. 비 오는 날 파전에 막걸리? 여름밤 치맥? 이런 말을 내뱉는 것. 나는 언제나 이 세상의 전형성에서 큰 안도와 위로를 얻었다. 우리가 서로 다르지 않다는 걸 확인하는 순간에. 혹은 내가 당신들과 별로 다르지 않은 언어를 구사한다는 사실을 나 스스로에게 확인시키면서.

그리고 이런 밤이면 항상 환상통처럼 팔목 부근이 저리고 쑤신다. 피망이 자리가 아픈 것은 아니고, 오래전 카페에서 아르바이트를 할 때 무거운 포터필터와 템퍼를 들고 누르고 끼우고 돌리느라 생긴 통증이었다. 무거운 것들을 잘 잡고 들고 누르고 힘주는 법을 배우지 못했다. 어깨 너머로 봐두고 힘으로 하려고 했더니 아르바이트를 그만둔 지 한참이 된 지금까지 팔목과 팔뚝이 종종 저리고 아팠다. 새벽은 길었고 오늘도 골목에서는 취한 사람들이 서로를 불러대고 지원의 프로필 사진은 여전히 비어 있음, 그중 하나라도 잊고 싶은 마음에 나는 일기장을 펼치고 펜을 꺼냈다. 펜의 잉크는 짙은 초록이었다. 침대에 엎드려 나는 적었다. 그날의 일기도 오래 전의 일기도 오지 않은 미래의 일기도 될 수 있을 것 같은, 시간을 적지 않는 일기였다.

내 삶은 아래로 미끄러져 내려가거나 뒤로 밀려나는 것이 아니야. 파도처럼 아래가 위를 덮치고 뒤가 앞을 밀어서 계속해서 오는 거야. 끊임없는 고통이고 위로 야. 그걸 다 느껴보는 일만이 내가 할 수 있는 일이야. 파도를 바라보고 있으면 영원히 그러고 서 있을 수 있을 것 같다는 생각이 드는데 무엇보다 그런 게 힘이 아닌가, 하고 생각했다. 계속해서 바라보는 것. 눈을 거두지 않는 것. 바라보는 쪽을 바라보는 것.

나는 고개를 빼고 내다보는 사람이 아니라 고개를 숙이고 들여다보는 사람. 피망이가 사라져서 나는 그런 사람이 되었다. 늘 빈자리를 문지르는 사람이 되었다. 물론 빈자리만 무수한 사람은 아니고 자수가 놓인 옷소매처럼 올록볼록하게 자리를 잡은 친구들, 손목 근처 같은 곳에 자리를 잡고 그곳을 손으로 쓸어볼 때마다 나에게 막연하고 편안한 안정감을 주는 친구들이 여럿 있지만, 어느 밤에는 작은 트리케라톱스가 떠나간 팔목 어딘가를 끝 모르고 쓰다듬게 되는 것이다. 이젠 어디에 있었는지조차 알 수 없게 된 채로. 자꾸 매만져서 마치 내 살이 아닌 것 같은 기분을 느끼면서. 피부 아래에 핏줄과 동동 뛰는 맥박 같은 걸 어쩔 수 없이 느껴가며 여기쯤이었지, 아니야 여기에 있었지, 약지 손톱만했지, 아니 좀 더 작았나? 새끼손톱 크기? 하며 옛 친구를 생각하는 것이다.

그리고 고개를 숙인 김에 피망이가 아직 내 몸안에 있다고 믿는 쪽을 택하기도 한다. 엑스레이로도 초음파로도 찾을 수 없지만, 그런 걸로는 볼 수 없는 내 몸속 어딘가에 옮겨가 사는 것이다. 고개를 숙이면 도드라지는 뒷목 뼈, 겨드랑이 안쪽, 어깨에서 등으로 넘어가는 곳, 날개뼈 위, 척추뼈의 중간 즈음, 엉덩이 한가운데, 아니면 두피의 어딘가. 혹은 내가 피망이를 삼켰을 수도 있다. 안쪽의 피부, 내장도 내 몸이니까. 보송한 바깥 피부에 살던 피망이는 이제 빨갛고 미끈거리는 안쪽 피부로 옮겨온 것이다. 핸드크림과 보디로션을 바르지 않는 내 습관에 질려서 말이다.

다음날 여전히 열려 있는 창문으로 거짓말처럼 햇빛이 쏟아져 들어왔다. 누운 채로 창문 맞은편, 빛이 부딪힐 흰 벽을 봤을 때 거기에는 그저 환하기만 한 것이 아닌 어딘지 익숙한 알록달록한 빛이 흩뿌려져 있었다. 멍한 상태에서 오 분 정도 생각하자 그제야 언젠가 창문틀에 걸어둔 선캐처 때문이라는 걸 알았다. 뜨거운 볕의 새삼스러운 온도, 간밤에 내린 비가 마르며 데워진 습한 공기로 여름의 한가운데에 다다랐다는 것도 알았다. 선캐처가 흔들릴 때마다 빈 벽에는 크리스털 장식을 통과한 동그란 빛이 점점으로 흩어졌다. 그 모습은 작은 요정들이 뛰어다니는 것 같기도 하고 춤을 추는 것 같기도 했다. 흔들리며 벽에 찍히는 색깔은 노랑과 파랑, 초록이었다.

나 여기 있어

주희의 연락을 받은 건 4월 둘째 주였다. 오랜만에 모임 사람들과 다 같이 볼 건데 괜찮으면 오라고 했다. 보고 싶다고 했다. 우리 본 지 오래됐잖아. 보고 싶어요 언니. 그런 말을 들은 지 너무 오래된 것 같아 손바닥에서 땀이 배어났다. 나는 휴대폰을 들고 망연히 과거를 한번 떠올려보았다. 모임을 하던 때. 그런 때가 내게 있었다는 게 까마득해서. 모임원은 나를 포함해 네 명이었다. 주희, 현우, 솔아, 나. 모임은 격주에 한 번 이루어졌다. 처음 그 모임을 결성하자고 했던 때는 재작년 5월이었고, 한여름처럼 더워서 밤새 맥주를 마시며 떠들다가 그 조합이 탄생한 거였는데, 4월이라니. 4월은 봄이 아닌

가, 왜 이렇게 춥지, 카디건을 두 개씩 껴입어도 몸을 옹
크리게 되었다. 모임이 시작할 무렵 나는 서울에 있었는
데, 지금 나는 모임에서 홀로 빠져나와 광주에 있다. 하
지만 그게 다 무슨 상관인가? 마음만 먹으면 갈 수 있었
다. 하지만 가지 않았다. 가지 않겠다고 했다. 조금만 더
나중에…… 나중에 모두들 보러 갈게. 그렇게 말했다.
그러나 나중이 있을까. 우리가 아무 사이도 아니게 되는
일은 너무 쉽다.

　주희는 이해해요 언니, 라고 말했다. 그 목소리는 다
정했다. 언니가 편해질 때 언제든 연락 줘요. 나는 주희
가 좋았다. 나라면 절대로 '이해해요'라고 말하지 않을
것이지만, 내가 하지 않는 말을 진심으로 하는 사람이
어서 좋았다. 돌이켜보면 주희는 언제나 그런 면이 있
었다. 그러니까 '내가 당신을 이해한다고 말할 수는 없
지만 당신의 의사를 존중해요'라고 말하지 않고 오롯이
'이해해요'라고 말했다. 그런 말을 하지 않는 사람(심지
어 그런 말을 하지 않겠다고 선언하는 사람)과 그런 말
을 하는 사람 사이에는 메울 수 없는 구덩이가 패어 있을
것이다. 아니 그냥 그 자체로 다른 땅덩이겠지. 서로가
다른 모양을 보여줄 때, 우리는 누군가를 이해할 수 없

고 단지 존중할 뿐이라는 말을 처음부터 끝까지 다 하는 유형의 사람은 현우였다. 나는 그런 사람들을 꼬인 사람이라고 불렀다. 굳이 자신이 믿는 가정까지 입 밖으로 꺼내는 사람. 그게 중요한 줄 아는 사람. 말하자면 주희는 꼬이지 않은 사람이었고 현우는 꼬인 사람이었다.

그렇다면 솔아는. 솔아는 어떤 사람인가. 솔아는 주희처럼 전화를 걸지 않는 사람. 자기를 보러 오라고도, 못 간다는 내 말에 이해한다고도 하지 않을 사람. 아무것도 묻지 않는 사람. 묻게 된다 해도 나중에, 라고 말하는 내 말에 그저 음, 했을 것이다. 음. 알았어요. 그리고 입을 꾹 다물 것이다. 할말이 남았다는 표정을 짓겠지만 휴대폰 너머의 나에게는 보이지 않을 것이다. 그러나 내가 가장 이해를 바라는 사람. 묻기 전에 내가요 무슨 일이 있었냐면요 그게 아니라요, 하고 말하고 싶은 사람. 그것이 솔아다.

주희와 현우, 그리고 솔아와 함께했던 모임은 쓰기 모임이었다. 우리는 쓰는 것을 각자 알아서 규정했고 가끔 성실한 모임원답게 주희가 정리해줄 때가 있었다. 나는 시를 많이 쓰고 솔아 언니는 거의 독서 기록이고 현우 오빠는 비평……(그걸 비평이라고 쳐줄지 말지 고민하는 것 같았다) 지원 언니는 에세이. 에세이? 나는 한번 웃고 그냥 일기라고 말했다. 뒤따라 솔아가 억울하다는 표정을 지으며 말했다. 야아, 나도 에세이야. 그렇게 말하는 솔아를 보고 다들 웃었다. 알았어 알았어, 하고 달래주는 척하며 놀리기도 했다. 다들 솔아를 좋아했던 것 같다. 그게 솔아에게 중요했는지는 모르겠지만.

솔아가 누구라고는 말할 수 없지만 그런 것들은 말할 수 있다. 솔아는 처음 만났을 때는 단발이었고, 만나는 동안 머리가 점점 길었는데 다시 단발로 자르지 않고 파마를 했다. 어깨 아래에서 갈색의 머리가 곱슬거렸다. 솔아는 어느 계절이고 가리지 않고 입술을 빨갛게 칠하는 걸 좋아했다. 촌스럽게 생겼으면서 또 진한 빨강을 좋아하네, 그렇게 생각했던 기억이 난다. 묘하게 촌스러운데 또 그게 잘 어울렸다. 그게 솔아. 키는 작고 얼굴은 동그랬는데 목소리가 탄산 같았다. 탄산 방울이 터지는 것처럼 톡톡 귓가에 꽂히는 마디들이 있었다. 허스키하면서도 또렷한 목소리. 모이면서 퍼지는 목소리. 말투엔 발랄하다고 느껴지는 리듬이 있었고 그 리듬처럼 몸을 움직였다. 동그랗고 통통 튀는 사람. 길쭉하고 흐릿한 나와 함께 있으면 재미있겠다는 생각을, 처음 보자마자 했었다. 그것이 내 눈에 보인 솔아들.

모임을 하며 알게 된 솔아의 습관이나 성격 같은 것도
있다. 주희의 말대로 솔아의 글은 거의 독서 기록이었고
가끔은 정말로 좋았다고, 읽은 책을 함께 올려놓기도 했
다. 솔아가 책을 차라락 펼쳐서 보여줄 때면 안 접은 부
분보다 접은 부분들이 더 많아 보였다. 그런 것도 재밌
었지만 또 하나 재밌었던 건 솔아가 책 모서리를 접는 방
식이었다. 솔아는 책을 아무렇게나 접었다. 크고 작고
들쭉날쭉. 반듯하게 각을 맞춰 접지도 않았다. 기억하고
싶은 구절이 페이지 위쪽에 위치하면 위 모서리를 접었
고 아래에 위치하면 아래 모서리를 접었다. 그런데 줄긋
고 싶은 부분이 길고 본문 중간에 위치한다면? 그때 솔
아는 아무데나 접었다. 내키는 곳을 접었다. 그런 작은
부분에서만 마음대로 했다. 그 외에 솔아는 대체로 함
께 있는 사람들의 의견에 따랐다. 굽신댄다거나 자신감
이 없는 느낌이 아니라 배려를 받는 사람이 받는지도 모
르는 사이에 배려를 하는 느낌이었다. 그것이 솔아의 진
심. 나는 누구보다 그 진심을 자주 받은 사람일 것이다.

그런데 왜 나는 솔아에게 말할 수 없었나. 여름이 가

고 효진이 왔다는 말을. 가을이 오고 효진과 함께 지냈
다는 말을. 겨울이 깊어지는 동안, 그 추운 날들 동안 효
진이 죽지 않고 살아 있었다는 말을. 나에게 효진이라는
친구가 있고 그가 죽을까봐 너무나 무섭다는 말을 왜 하
지 못했을까.

효진이 온 것은 여름의 더운 바람이 차가워지던 때.
효진은 평택에서 왔다. 힘없는 몸과 정신을 추슬러 내
게 오는 데 거의 한 달이 걸렸다. 그렇게 온 효진을 모른
척할 수 있었을까? 애초에 걸려오는 전화를 무시했더
라면? 모르는 번호를 마음껏 안 받을 수 있는 사람이 있
을까? 적어도 내 주위엔 없는 것 같았다. 일러스트레이
터인 주희도 언제 어디서 일 연락이 올지 모르니 모르는
번호를 매번 받아야 한다고 했다. 나도 그랬다. 예약 문
의는 카톡으로, 라고 써놓았지만 언제 어떻게고 휴대폰
번호로 전화가 왔다. 아주 오래전 카톡 예약 문의 시스
템을 구비하기 전 개인 번호로 예약을 받았을 때 다녀갔
던 손님의 친구, 손님의 친구의 친구, 그 친구의 친구 들
일 것이다. 나는 일을 해야 했고 그 번호들을 무시할 수
가 없었다. 모르는 번호로 걸려온 전화를 열 번 받으면
대략 네 번은 예약 상담이었고 세 번은 카드 회사였고 두

번은 우체국 택배, 한 번은 말없이 끊는 전화였다.

서울에 올라와 자리를 잡는 동안 효진을 잊고 지내긴 했지만, 번호가 없는 줄은 몰랐다. 모임에서, 써 간 글에 대한 이야기는 삼십 분도 안 하고서 온갖 주제로 떠들다가 광대뼈가 아플 정도로 웃고 돌아온 밤이었다. 모르는 번호로 걸려온 전화를 받는데 한동안 말이 없어서 또 어떤 변태 범죄자인가 싶었는데 효진이었다.

나야. 지원아 나 효진이야.

그렇게 말하고 또 한참을 말이 없었다. 바람이 씽씽 불어대는 곳에 있는지 숨소리에 바람 소리가 섞여 들렸다. 몹시 오랜만에 하는 통화였는데 단숨에 지겹다는 생각을 했다. 나는 언제고 효진을 이해해본 적이 없다. 왜 그러는지 몰랐고 왜 그러는지 몰라서 자꾸만 화가 났다. 효진에게는. 그날도 그랬다. 왜 그래, 또. 왜 또 그래 효진아. 그렇게 물었는데 아마도 짜증이 배어났겠지. 그걸 효진도 느꼈겠지. 효진은 모르는 아파트 옥상이라고 했다.

나 여기 청소년상담센터에서 일했는데 몇 달 전부터 다시 좀 안 좋아져서 그만두고 집에만 있었거든.

효진은 평택의 전문대에서 청소년 심리 상담을 전공

했다. 관련된 일을 구했지만 언제나 몇 달 만에 그만두었고 그러고 나면 집에서 나오지 않는 기간이 있었다. 잠잠하던 집에 한동안 소식이 없던 아빠가 돌아왔고, 돌아오자마자 꼴 보기 싫은 것에 대고 투덜거리기 시작했는데 그게 바로 효진이었다. 그는 자기가 말하는 효진의 꼴 보기 싫음을 자기가 듣고 점점 더 화가 났고 효진은 그걸 돋웠다. 그러다 결국 그가 발길질을 시작했다고 했다. 효진은 집에 내려가 있는 동안 아무런 운동도 하지 않았고 음식이라곤 쿠크다스나 웨하스 같은 것만 먹어댔기 때문에 근육과 살이 빠질 대로 빠진 상태였고 음식이나 운동도 다 됐으니 약만 제때 먹었다면 좀 나았으련만 가장 최악은 약을 먹지 않은 것이어서, 그때 그만 돌아버렸다고 했다. 호흡이 가빠지고 눈이 돌아가고, 심장이 목으로 튀어나올 것 같고 두 손은 카페인을 과다 섭취했을 때처럼 떨리고. 그런 효진을 보고 효진의 아빠는 저 꼴을 보느니 내가 죽겠다고 흉기가 될 만한 것을 찾아 온 집안을 쿵쿵거렸다. 효진은 흐물흐물 일어서서 집밖으로 나왔고 어두운 밤거리, 가로등도 비실비실해서 21세기 도시답지 않게 캄캄한 평택의 어느 거리를 걷다가 무작정 모르는 아파트의 계단을 올랐다. 잠기지 않는 수도꼭지처럼 눈에서 눈물이 줄줄 흐르고 그걸 소매로 닦다가 포기하며 이십오 층을 올라 옥상에서 떨어지려고 했는데 막상 떨어지려니 세고 차가운 바람이 귀를 때려서 무섭고 슬펐다.

그래서 전화했어.

나는 휴대폰을 꼭 쥐었다. 그게 효진인 것처럼. 지원아 넌 어떻게 할래? 아무리 애써도 그 좁은 집 세 명뿐인 가족에서 벗어날 수가 없는 기분이 들면. 지금 여기서 죽는다는 선택이 내가 살아서 할 수 있는 선택 중 가장 나은 선택인 것 같은 기분이 들면? 효진의 그 물음에 나는 아득해졌다. 그런 기분이 들었던 때는 이미 지나갔고, 나는 그걸 다행이라고 여기며 하루하루를 놓치지 않으려 애쓰는 중인데 또, 그런 생각을 해야 한다고? 하루 종일 아무것도 안 해도 손목 발목이 무거워서 식은땀을 흘리며 침대에서 일어나던 그 기분을 다시 생각하라고? 나는 거기에 있기 싫어. 그래서 더듬거렸다. 할 수 있는 말을 했다.

효진아 나는,

……

나는 죽고 싶지 않아. 살고 싶어. 가능하면 잘 사는 쪽

으로 살고 싶어. 뭐가 잘 안 돼도 그걸 잘 살았다고 믿는
방식으로.

와.

효진은 진심으로 놀란 것 같았다.

진짜 놀랍다.

그래서…… 너도 안 죽었으면 좋겠어. 한번 다른 선
택을 생각해봐. 한 번만 도망쳐봐. 서울로 와. 내 근처로
와. 나한테 전화해놓고 죽지 마.

내 말에 효진은 웃었다. 나는 말을 마치고 울었다. 죽
지 마 제발. 나한테 죽는다는 소리 하지 마. 네가 없으면
나 어떡하라고. 그런 뻔한 말을 했는데 오히려 뻔한 말
에 효진의 목소리에 생기가 돌아온 것 같았다.

진짜 신기하다 지원아. 나 그런 말 들을 줄 몰랐어. 네
가 그렇게 말할 줄 몰랐어. 그래 죽는 것도 선택할 수 있
지, 좆같은 세상 언제 가도 갈 텐데 내 의지로 가는 것도
나쁘지 않다고 말할 줄 알았어. 좀 놀랐는데, 듣기 좋네.
고마워. 예상도 못했는데 예상보다 더 좋아.

그때 나는 내가 효진을 구할 수 있을 줄 알았다. 효진
이 내려왔으므로. 코를 훌쩍이는 소리와 다시 아파트 계
단을 타박타박 내려가는 소리가 번갈아 들렸고 내 심장

박동도 다시 평상시처럼 돌아왔으므로. 내가 전화를 끊지 않으면 효진의 손을 놓지 않는 것이 될 줄 알았다.

너는 대단해.

효진이 말했다. 대답하고 싶지 않았다. 뭐가, 그냥 하면 되는데 뭐가 또 나는 대단하고 너는 절대 못하고 그만 소리나 하려고 밑밥 깔지 마, 하고 오래 묵은 화를 내게 될 것 같았다.

나도 너처럼 할 수 있을까, 지원아? 다 끊고 혼자서 살 수 있을까?

나는 그럼, 하고 힘없이 대답했다. 실은 몰라, 하고 대답하고 싶었다. 몰라. 너 그렇게 말하고 또 거기 뭉개고 앉을 거잖아. 하지만 언제나 그랬듯 나는 효진에게 솔직하지 못했고 되려 내가 있잖아. 나 있잖아. 언제든 전화해. 괜찮으니까. 하고 말했다. 솔직한 건 효진이었다. 효진은 그날 이후 정말로 언제든 전화했다.

이제 와서 생각해보면 내가 효진에 대해 예상했거나 알고 있던 것은 다 틀렸다. 시간이 지나고 모든 게 희미해지고 단지 그 사실만을 확인할 수 있었다.

여름이 지나갈 무렵 전화가 걸려오고 그 뒤로는 모르는 번호가 아닌 '효진'이라고 저장한 이름이 뜨고 내가 효진아, 하고 전화를 받았을 때. 효진은 나 서울이야, 라고 대답했다.

*

효진과 나는 열네 살 때부터 알았다. 우리는 나란히 교복이 더러웠고 서로 잘라주어 쥐 파먹은 것 같은 앞머리를 하고 다녔다. 나란히 집이 비었고 천원, 이천원을 모아 라면을 사 먹고 서로의 집에서 뒹굴거렸다. 효진은 나보다 돈이 없었는데 담배까지 피웠으므로 담배는 빼앗아 피웠고 다른 친구들이 코인노래방에 갈 때 괜히 묻어서 가곤 했다. 효진은 노래를 잘했다. 쥐 파먹은 앞머리를 하고, 지어낸 것 같은 바보스러운 표정을 하고. 노래를 좀 잘한다고 해서 가수가 될 순 없고 효진이 뭐가 될까? 하고 궁금해했고 실은 효진이 타투이스트가 될 줄 알았다. 날라리 직업이라고 머릿속에 떠오르는 것들 중 아무거나 될 줄 알았다. 효진은 누가 봐도 날라리였으므로. 그런데 효진은 아무것도 되지 않았고…… 내가 됐다. 대학에 가야만 그 동네를 떠날 수 있었고 그래서 미대에 갔고 타투이스트가 되었다.

내 몸이 아니라 다른 사람 몸에 자국을 남기는 일은 이상하게 쾌감을 주었는데 그게 마냥 담백한 자아실현의 쾌감은 아닌 것을 내가 가장 잘 알고 있었다. 나는 뭘 좀 남기고 싶구나. 계속해서 여기저기…… 그런데 그 뭔가가 실은 나인 것 같았다. 죽을 때까지 지워지지 않는 타투는 그걸 새긴 사람에게 오롯이 소중한 것이어야 하는데 나는 자꾸 거기에 나를 새겼다. 내가 있었다는 걸. 여기에도 내가 있어. 사람들 몸 구석구석에 있어. 그 감각만이 나를 위로했다. 그게 아니면, 그런 게 아니면 나는 나를 좀 허깨비 같다고 여겼다.

내가 그린 타투는 나만큼 복잡하고 불순했다. 뒤틀린 마음이면서 겁은 많아서 누군가를 해치지는 못하고, 그 꽉 막힌 욕구불만을 이런 쪽으로 푸는 것 같았다. 하지만 또 그 와중에 그림이 정말 좋기도 했고. 이렇게 섬세한 타투는 나만 할 수 있지, 하고 등등해지는 기분은 드물게 성취감을 주기도 했고. 복잡한 마음이 복잡해질수록 단순한 타투를 새겼다. 사람들이 좋아해주었고 그러면 나를 좀 덜 허깨비처럼 여길 수 있었다. 꼬인 마음이 해소가 되자 내 몸에도 타투를 새길 수 있었다. 그전까지 나는 내 몸에는 타투 한 점 새기지 않은 타투이스트였다.

　서울에 온 뒤 효진을 잊으려고 애썼다. 효진을 떠올리면 그 동네가 생각나니까. 효진의 전화 한 통이 이렇게 끈적하게 들러붙을 줄 몰랐다. 그걸 잊어버리고 싶어서 종이에 옮겨 적었다. 효진이 올라갔던 아파트가, 걸었던 밤거리가 어떻게 생겼을지 썼다. 그곳은 내가 아는 곳이어서 쓸 수 있었다. 평택의 더럽고 어두운 거리. 별일이 다 일어나고 아무 일도 일어나지 않는 거리. 언제든 강간을 당해 죽을 수 있지만 효진과 나는 운좋게 그렇게 죽지 않았다. 나는 내가 나고 자란 도시가 주는 커다란 불운의 기운을 애써 피해 서울로 온 것에 만족하고 감사하며 살았다. 삶에 대한 사랑과 삶에 대한 체념이 동시에 생겼다. 운좋게 살아남아 서울까지 와서, 나로서 가장 잘 살 수 있는 방법은 우연히 얻은 일상을 열심히 지키는 일. 돈을 벌고 청약을 넣고 전세금을 모아 마련한 작은 토분 같은 내 방, 내 일, 내 거리, 내 그림, 내 애인, 내 친구들을 지켜야 했다. 그 안에서 모든 것을 하고 그 안에서 모든 것을 느낄 거라고, 작은 내 자리에 나를 끼워 맞추며 다짐했었다. 나는 서울 어딘가에 살고 있으며 그 운에 만족하고 있지만 효진은 그걸로는 안 돼서, 혹은 운보다 더 큰 복이, 힘이 필요한데 그것이 없어서 스스로 죽겠다고 말했다.

효진이 서울에 온 이후, 나의 집 근처에 보증금 삼백의 옥탑방을 구하고 거기서 사는 몇 개월 내내 나는 효진이 죽을까봐 떨었다. 혹은 그 이전부터 계속. 효진의 반경에서 떠날 수 없었고 요요처럼 효진의 곁으로 돌아갔다. 가끔 벗어난 듯해도 죄책감에 이끌려 제자리로 돌아왔다. 나의 자리. 효진의 옆자리. 나는 일주일에 서너 번씩 효진을 보러 갔다. 효진의 옥탑에서, 효진과 밥을 먹고 번갈아 설거지를 하고, 효진과 빨래를 개고 효진이 좋아하는 뮤직비디오를 보았다. 효진이 우울하지 않기를 바라는 마음에, 아주 잠깐 웃길 바라는 마음에 괜히 '섹스밤' 같은 이름의 입욕제를 선물하기도 했다.

그때 내가 잊어야 할 것은 살아 있는 효진이었다. 일하는 중에도 애인을 만나다가도 솔아 주희 현우와 모임을 하다가도, 효진의 전화가 올까봐 문득문득 놀랐다. 나는 그때부터 얇디얇아지기 시작했던 것 같다. 다시 허깨비처럼 희미해진 것이다. 아무도 나를 건드리지 않았는데도 신경이 곤두서 있었다. 효진이 전화해서 또 죽기 직전의 목소리로 죽는다는 말을 할까봐. 혹은 죽지도 않을 거면서 또 뭐 때문에 누구 때문에 죽고 싶다는 말을 할까봐. 어느 쪽의 말도 듣기가 쉽지 않았다. 충분히 튼튼하고 두껍지도 않으면서, 뾰족해진 친구를 품고 있느라 나는 건드리면 찢어질 것 같았는데, 이상하게 누가 그런 날 좀 건드려줬으면 하는 마음도 품었던 것 같다. 이상한 마음. 효진 같은 마음. 누가 날 그냥 둬도 싫고 마음 써줘도 싫고 그냥 못나게 우그러진 마음.

이렇게 마음 이야기를 하고 있으면 꼭 솔아가 된 것 같고 기분이 슬그머니 좋아지는 걸 느낀다. 아주 미세하게, 미세하지만 분명하게, 영하 사십 도에서 영하 삼십팔 도 정도로 온도가 올라가는 느낌이 든다. 그건 솔아가 자주 쓰던 말이었다. 모임에, 내가 건전지나 타투 기계나 손님들이 예약 상담을 하며 적었던 문구들을 가지고 글을 써 가면 항상 그걸 마음으로 연결해 읽어주었다. 그래서 지원씨 마음이 영 이상했겠네, 지원씨는 그런 데 마음을 쓰는구나, 신기하다, 그렇게 말해주곤 했다. 효진에 대한 이야기는 하나도 쓰지 않았는데 이미 다 해버린 것 같았다. 그래서 더 입을 다물었다.

*

내가 압정에 닿을락 말락 하는 풍선처럼 신경이 곤두서 있을 때, 솔아에게는 이상한 일이 있었다. 팔목에 새겼던 타투가 감쪽같이 사라진 일이다. 내 경험은 물론이고 주변 타투이스트들에게도 들어본 적 없는 일이었다. 타투가 판박이 스티커도 아닌데, 뭉개지고 번지고 희미해진 것도 아니고 스티커를 떼어내듯 그렇게 깔끔하고 흔적 없이 사라지는 일은. 그리고 그 사실에 내가 가장 충격을 받았다.

그건 내가 새겨준 타투였다. 솔아와는 언제나 모임이 시작하기 전 일이십 분 정도 먼저 와서 떠들곤 했는데, 어느 날 내가 장난삼아 그려본 타투 시안을 솔아가 마음에 들어했다. 코와 이마에 뿔이 있는 트리케라톱스 그림이었다. 엄지손톱만한 작은 크기의 공룡. 얼렁뚱땅 그린 그림이라 마음이 쓰여 몇 번이고 첫 타투인데 이런 낙서 같은 걸로 괜찮겠어요? 하고 물었는데 솔아는 물으면 물을수록 단호하게 대답했다.

네, 너무 좋아요. 뿔이 있잖아요.

그렇게 말하는 솔아가 좋았다. 단단해지고 싶구나. 솔아는 타투를 무척 마음에 들어했고 피망이라고 이름도 붙여주었다. 이후로 우리가 부쩍 가까워졌다는 걸, 솔아도 나도 느꼈다.

유순하고 기대에 가득찬 솔아의 눈을 기억한다. 솔아가 모임에서 나머지 두 사람보다 나를 더 좋아한다는 걸 알 수밖에 없었다. 그 마음에 몰두하고 있는 것을 눈치챌 수밖에 없었다. 그러나 가끔 그 마음에 어깃장을 놓고 싶기도 했다. 너는 삶이 편하잖아. 누군가를 좋아하고 누군가가 널 좋아하는 일 외에는 걱정이 없지. 그리고 나는 그런 솔아와 다르다고 생각했다. 어울리지 않아. 이해받지 못할 거야. 효진과 관계가 오래 지속될 수 있었던 건 정확히 그 반대였다. 효진은 나와 비슷했다. 우울의 기미, 속이 꼬인 정도. 방관자처럼 보이기 쉬우나 실은 수동공격적인 태도.

솔아의 타투가, 피망이가 사라진 걸 처음 발견한 건 나였다. 한창 효진 생각에 머리가 조여올 정도로 신경을 쓰고 있었으므로 잘못 본 줄 알았다. 셔츠를 걷어올린 솔아의 팔을 몇 번이나 다시 봤는데도 안쪽이 깨끗했다. 솔아에게 피망이가 사라졌다는 말을 꺼내기 전까지, 나는 불행의 기미에 휩싸여가고 있었다. 일이 잘못되어가고 있다는 느낌 받았을 때의 익숙한 슬픔이 서서히 들어찼다. 솔아의 팔에 작은 공룡을 새겨넣던 그 짧은 순간을 잊을 수 없다. 잊지 않는다. 타투를 새기기 시작한 이후 아주 오랜만에 다시 나를 담아 새겼기 때문이다. 솔아씨 이거 나야. 나 여기 있어. 여기에도 내가 조금 있어. 솔아씨 팔에도. 그런 마음으로 새겼었다. 혹시 나 때문에 사라진 걸까. 내가 희미해진 만큼 희미해지다가 결국 사라진 거야. 내가 허깨비인 걸 솔아에게도 들킨 것이다.

모임이 진행되는 두 시간 동안 솔아의 팔에서 내가 그려준 작은 공룡이 사라졌다는 걸 천천히 인정했고, 그 순간 내 얇디얇은 마음 어딘가가 찢어졌다. 찢어진 틈으로 고였던 절망이 흘러나와서, 나는 솔아를 공격했다. 솔아가 상처받을 걸 알고 있었다. 솔아가 나를 보는 만큼 나도 솔아를 보니까. 무엇이 가장 무신경하게 그를 긁을 수 있는지 상처 낼 수 있는지 나는 알았다. 나는 하얀 솔아의 팔을 가리키며 말했다.

솔아씨, 피망이 없어진 거 아니에요?

그 말에 솔아는 뭔가를 저도 모르게 꿀꺽 삼킨 듯 놀란 표정이었다. 자신의 팔뚝을 더듬어 피망이 자리가 비어 있는 걸 확인한 솔아의 얼굴을 기억한다. 그 잠깐 사이에, 솔아의 얼굴에는 들키고 싶지 않은 걸 들킨 표정, 실망시키고 싶지 않은 사람을 실망시킨 표정, 모든 걸 되돌릴 수 없다는 걸 알아버린 절망의 표정이 스쳐갔다. 그 외에도 수많은 복잡한 표정을 읽을 수 있었는데 이미 꼬일 대로 꼬여 있던 나를 터뜨린 건 왜인지, 나의 용서를 바라는 듯한 표정이었다. 갑자기 내가 준 상처를 그대로 받아버리는 저 사람이 너무 연약하고 사랑스러워서, 미안하고 짜증이 났다. 슬픔이 저 배꼽 밑부터 순식간에 차올라 눈 밑까지 도달했을 때. 차라리 그때 울었어야 했나? 솔아씨, 피망이가 사라진 건 커다란 불행 같아요. 저는 그런 게 너무 무서워요. 내 발밑에서 보이지 않게 흐르는 불운 같은 것들이요. 내가 새로 채워넣은 나를 다 빼앗아갈 것 같은 예감이요. 그런 고백을 하며 펑펑 울었다면 어땠을까.

그러나 나는 울지 않았고 비열하게 웃어버렸다.

솔아씨, 지금 표정 너무 웃겨!

내 말에 솔아는 순식간에 표정을 걸어 잠갔고 나 역시 조금은 이성을 차려 내가 만든 분위기를 무마하기 위해 애썼다. 솔아를 달래주거나, 사라진 피망이에 대해 원래 우리가 하던 대로 친밀한 대화를 나누려고 해보았다. 그러나 입이 벌어지지 않았다. 스스로에 대한 부끄러움은 입을 막아버렸다. 묻고 싶은 게 많았는데. 어디로 간 걸까요? 집 벽 같은 데에 옮겨갔나? 왜 옛날 벽화처럼요. 아니면 다른 데 좀 봐도 돼요? 흘러내려갔나? 손바닥 안쪽이나 팔꿈치 아래쪽 같은 데로. 피부 안쪽으로 깊이 들어갔을지도 모르고요! 머리를 맞대고 추리하고 싶었다. 그러나 내가 뱉을 수 있는 말은 한마디뿐이었다.

괜찮아요. 지워질 수도 있죠.

나는 그 뒤로 솔아를 똑바로 쳐다볼 수 없었다. 나를 얼마나 원망하고 있을지, 내게 얼마나 실망했을지 고스란히 느껴지는 것 같아서. 그후 나는 효진에 대한 이야기는커녕 사과조차 하지 못했다.

내가 나빠진 순간에 효진은 이미 더욱더 나빠질 수 없이 나빠지고 있었다. 가난에 대해, 약물 자살에 대해, 돈을 많이 버는 사람들에 대해, 살의에 대해 말했다. 속이 텅 빈 것이 아닐까 싶을 정도로 수많은 저주의 말을 토해낸 뒤, 내가 사 온 함박스테이크나 돈가스덮밥을 딱 두 입 먹고는 다시 잠들었다. 새벽이면 그것조차 토하는 소리가 들렸다. 옥탑은 너무 추웠고 추우면 왜인지 더 무서워졌다. 앞으로 영영 이런 날만 반복될 것 같다는 강렬한 절망이 직사광선이 들지 않는 서늘한 곳에서 잘 보존되는 것 같았다.

솔아의 타투가 사라진 후, 나는 밤마다 내 몸을 살폈다. 나는 어떤 게 사라질까봐 두려웠다. 갈비뼈가 끝나는 부분에 새긴 파도와 날개뼈 위에 새긴 별, 배꼽 위에 새긴 나침반, 손등 구석에 새긴 나무와 발목에 새긴 Live your life. 의미가 있기도 하고 없기도 한 것들 중에서.

*

그리고 효진이 죽었다. 나는 효진을 잃었으나 효진만 잃은 것은 아니게 되었다. 애인이던 지수를, 한창 가까웠던 주희와 현우를, 그리고 솔아를 잃었다. 일을 그만두었고 참여하던 몇몇 모임을, 거기서 만난 사람들을 모두 그만두었다. 그게 효진 때문은 아닐 것이다. 나 때문이겠지. 도와달라고 손을 뻗지 않았던 나 때문이다.

*

왜 모든 건 지나가고 마는지, 우리가 이렇게 생생하게

사랑하고 화내며 살았는데, 그즈음엔 그게 자꾸만 슬퍼서 드라마든 영화든 그 비슷한 것들만 보면 울었어. 노인들이 나오고 회상 장면 속에서 젊은 모습이 나오다가 다시 늙은 모습으로 끝나게 되는 그런 거. 그 여름에 나는 그 정도로 삶이 좋았다. 내가 아직 젊다는 게 좋았어. 내가 여름 같았어. 뜨겁고 물기가 차오른. 언제 어디에 있는 물가에 빠져도 깔깔 웃거나 엉엉 울어도 되는. 실제로는 그래본 적도 없고 말수 적고 얌전하다는 말을 더 많이 들었지만 그래도. 언제나 살고 싶었어. 끝까지 살고 싶었어. 내가 서 있는 곳이라면 벽과 천장과 바닥을 모두 느끼며 살고 싶었어. 생생함만이 내 무기이고 기쁨이었는데.

그런데 효진이 온 거야. 백 살은 먹은 것 같은 효진이. 곧장 죽어야지 마음을 먹고 곧잘 먹지 않고 누워만 있고 몸을 반쯤 일으켜 담배를 피우다가 현기증이 나서 다시 그대로 누워버리는 효진이.

너무 행복한 건 다 지나가나. 언젠가 솔아와 퇴근 후 맥주를 마시고 한강을 가로지르는 다리를 걸어서 건넜던 것이 떠올랐다. 그 다리 같은 건가. 이쪽에서 저쪽으로 가는 길. 그 길 동안만 행복하고 결국에는 행복 다음

으로 가야 하는 거야. 행복 다음은 슬픔. 우리가 계속 건
너다녀야 하는 곳은 슬픔이지.

*

    살아 있는 효진에게서 도망칠 수 없었듯 나는 사라진
효진에게서도 벗어날 수가 없었다. 제정신으로 잘 수가
없어서 한동안 소주 몇 잔을 연속으로 삼키고 곧장 잠자
리에 들었다. 그런 건 너무 신기하지. 없는 것에 칭칭 감
겨 있는 것이다. 사라진 것이 내 몸 안팎으로 꽉꽉 자리
하고 있는 것이다. 효진이 사라지고 효진의 목소리는 더
선명하게 들렸다. 내 태몽은 불이었대. 엄마가 공장이랑
군부대를 다 태우는 어마어마한 불이 나는 꿈을 꿨다더
라. 알쏭달쏭해서 그게 태몽이야? 하고 물으면 효진은
입술 끝을 실룩이며 되물었다. 그게 태몽이 아니면 난
뭐야? 효진은 항상 그런 식이었다. 나는 그런 효진의 방
식이 싫으면서도 떠나지 못했다. 너 왜 말을 그런 식으
로 해? 그런 식으로밖에 못해? 라고 묻지도 못했다. 난
왜 그렇게까지 효진이 무서웠을까. 뭐가 무서웠을까.
    효진이 죽고 두 주쯤 지났을까, 어느 날 새벽 발신 번

호 표시 제한으로 전화가 연달아 걸려왔을 때. 정말이지 모든 게 부질없고 부질없다는 생각을 했다. 오로지 효진을 이해할 수 있을 것 같다는 생각만 들었다. 나는 도무지 그 전화가 나를 너무나 보고 싶지만 차마 볼 수는 없어 다만 여보세요 한마디만 들으려는 옛 애인이나 혹은, 혹은 모임을 떠난 뒤 내가 어딘가에 살아 있다고 믿으려는 솔아의 노력일 거라는 생각은 하지 못하는 것이다. 다만 그저 두려움. 언제 죽을지 모른다는 두려움뿐이었다. 내가 보지 못하는 어둠 속에서 누군가는 나를 보고 있고, 전화 한 통으로도 나를 위협하고 통제할 수 있는 존재가 있다. 그런 쪽이 생각하기 쉬웠다. 그러자 효진이 생각날 수밖에 없었다. 효진의 피해의식, 효진의 패배주의, 효진의 방어기제, 효진의 트라우마, 효진의 우울. 효진을 살기 싫도록 만든 그 모든 것들. 내가 애쓰는 모든 것을 무화시켜버리는 강렬하고 강력한 허탈감.

난 언제든 죽을 수 있어. 그 말을 소리 내어 했다. 곁에 지수씨밖에 없었으므로 지수씨에게만 했다. 지수씨는 내가 서울에 와서 사랑한 사람들 중 가장 사랑한 사람이었다. 지수씨는 결국 단단한 표정으로 나에게 되물었다. 그 얘길 꼭 해야 해, 나한테? 계속 그렇게? 그때 깨달았다. 나는 효진처럼 살고 있다는 것. 효진이 해오던 말과 행동을 이어받아 하고 있다는 것. 그게 죽도록 싫은 동시에 죽어도 어쩔 수가 없다는 것. 그게 그렇게 뜯어내지 못할 정도로 붙어 있는 건 줄 몰랐다. 미안해 효진아. 미안해 지수씨. 나는 어느 쪽이든 빌 수밖에 없었다.

지수씨는 나의 정신 나간 상태에 질려서 떠났다. 나는 지수씨의 집 앞에 가서 빌었다. 지수씨 미안해. 내가 잘못했어. 내가 소홀했어. 진짜 차여도 싸…… 그런데 한 번만 봐주면 안 될까. 나 정말 지수씨 사랑해. 그렇게 말하며 펑펑 울었다. 잡고 싶어서가 아니라 울고 싶어서 찾아간 것처럼 울었다. 아직도 쏟을 눈물이 남아 있다니. 오직 깊은 울음을 우는 순간만 시원했다. 울음소리가 잦아들고 나면 또다시 마음이 콱 막혔다. 너무 조여들어서 끊어질 것처럼 느껴지기도 했다. 그러면 기어코 잘못이 없는 사람에게 화가 났다. 나는 울다가 화를 내다가 했다. 남의 집 앞에서. 지수씨 집 앞에서. 지수씨는 나와 보지도 않고 카톡으로 말했다.

— 너 이거 스토킹이야. 협박이고.

지수씨 말이 다 맞았다. 언제나 그래왔던 것 같았다. 내가 느끼거나 느끼지 못하는 순간 전부 지수씨가 맞았다. 틀린 나를 보면서 얼마나 답답하고…… 외로웠을까. 그런데 지수씨, 알 수 없는 건 알 수가 없다. 나는 지금 내 슬픔으로 꽉 찼고…… 내가 행패를 부리고 있다는 사실만 정확히 알아. 지수씨 마음은 정확히 모르겠어. 요만큼도 모르겠어. 내가 미운 건지 외로운 건지, 내가 외롭게 해서 미운 건지. 짜증나는지 화가 나는지. 그냥 다 귀찮은지. 솔직히 말하면 그게 정말로 궁금한 것도 아닌 것 같아. 지수씨가 솔직히 말해줘도 나 그렇게 안 듣겠지. 저 뒤에 또 다른 속마음이 있을 거라고 생각하겠지. 최악이다, 최악이네.

달밤에 그런 생각을 하며 지수씨네 집 앞에서 한참을 서 있었다. 마침내 해야 할 바를 다 했다는 느낌이 찾아왔다. 그것은 공복인 상태와 비슷했다. 마음이 비어버린 느낌이었다. 지수씨 나 이제 여기 안 올 거야. 눈가에 범벅인 눈물을 닦는데 후련했다. 그제야 진짜 내가 잘못했다는 생각이 들었다. 나 정말 지수씨한테 다 쏟고 가네. 미안해.

그 감각을 알았다. 나는 가고, 너는 여기 남겠구나. 누가 가는 건지는 모르겠지만. 네가 가고 내가 남겨진 것이기도 하겠지. 그러나 그런 건 의미가 없고 그저 우리

가 함께가 아닌 순간에 대한 예감만이 또렷했다. 나는
언제나 그 감각을 알았다. 그런 감각이 스미는 순간을
알았다.

잘 뿌리 내리고 자라나던 나의 줄기를 절반 이상 도려
낸 것 같은 나날들이 계속되어 나는 절단을 택했다. 갉
아먹어버린 부분이 이렇게 크다면 언젠가는 부러지기
마련일 테니까 미리 잘라버리는 쪽이 나았다. 나에게도,
모두에게도. 이곳에서 일어난 일들을 깔끔하게 자르고
다른 곳으로 옮겨지기로 했다. 서울에서 지겹도록 살다
가 언젠가 한번은 서울을 떠나고 싶었는데, 서울을 떠
나면 바다에 인접한 마을에서 살아보고 싶었는데 그중
반만 이루어졌다. 서울을 떠났지만 바다는 보이지 않는
곳으로. 조용하고 어딘지 채도가 약간 낮은 듯한 곳으
로 옮겨졌다. 나는 광주로 갔다. 언젠가 지수씨와 여행
을 하던 중에 들렀던 곳이었는데 마침 기억이 났다. 적
당히 사람이 움직이고 적당히 조용하다고 여겼던 것 같
다. 그렇지 조용한 곳이라면 그때 둘러봤던 여행지 중에
서 순천도 보성도 조용했지. 그러나 광주가 남았다. 기
억에는. 공주와 잠깐 헷갈렸지만 광주였다. 갈 곳을 정

하자 마음이 빨리 떨어졌다. 접착력이 다한 테이프처럼 하던 일들에 미련이 없어졌다. 남은 이들을 떠올리면 가슴을 세게 치는 것처럼 아프던 것에도 점점 무뎌졌다. 솔아씨, 주희야, 지수씨. 그렇게 불러보다가 결국 효진아…… 하면 다시 얼굴이 일그러졌지만 그것마저도 결국 조용히 체념하게 되었다.

하던 일을 그곳에서 이어가려는 마음도, 하던 일을 접고 다른 일을 하려는 마음도 없이 그저 서울의 나를 묻고 지우는 일에만 몰두했다. 몇 명이서 함께 운영하던 타투숍에서 빠지고, 살던 집을 정리하기 위해 그 안에 누적된 짐을 처리하고, 팔고 버리고 신고하고, 서울의 전세금을 그대로 빼서 광주로 옮기면 살 곳을 찾기는 어렵지 않았다. 기차를 타고 왔다갔다하며 낡은 아파트를 위주로 전셋집을 알아보았다. 그렇게 나는 광주 어딘가의 개나리아파트에 살게 되었다.

어떨 때 사람은 정말로 나무 같아서, 오래 나고 자란 동네에서 다른 동네로 옮겨오면 뿌리 뽑혀 옮겨진 나무처럼 새 땅과 새 흙을 낯설어하고 가렸다. 며칠이면 익숙해질 줄 알았는데 서너 달을 그렇게 보냈다. 서너 달이면 괜찮지. 그 정도면 생각보다 괜찮다, 혼자 주억거렸다. 서너 해가 걸릴 수도 있었을 거라고 생각한다. 집을 구하고 나서는 정말로 다시 살기 위해서, 산다는 감각을 재정비하기 위해서 눈을 부릅뜨고 허리와 배에 힘을 주었다. 자꾸만 물렁물렁해지는 것을 세워보려고. 자리를 옮겨 다시 한번 디뎌보려고 노력했다. 발목과 무릎에 힘을 주고 조금 걸어보려고. 말 그대로 쉴 새 없이 걸었다. 길을 익힌다는 핑계로, 작업실을 구한다는 핑계로, 나 스스로에게 핑계가 왜 필요한지 모르겠지만 어쨌거나 다 이유가 있다 내 안에는 다 이유가 있어 하는 마음으로 걸었다. 개나리아파트를, 주공아파트를, 오월공원과 경로당을, 학교도 지나고 5·18공원에까지 가는 날도 있었다. 그렇게 걷다보면 새끼발가락이 아프고 무릎이 시큰거려서 힘들 때도 있었지만, 몇 바퀴를 돌다가 지쳐서 버스나 택시를 타고 돌아온 적도 있었지만 실은 그게 뭐가 힘든가. 그런 힘듦은 반가웠다. 간판이, 학교가, 공원에 가는 길이 눈에 익을 때면 기뻐서 눈물이 났다.

비슷한 작업을 하는 이들과 그 동네 상가 어딘가에 작업실을 임대하여 다시 일도 시작했다. 다시 타투를 새기기 시작했다. 나뭇잎부터 시작했다. 나뭇잎과 새부터.

문자로 된 타투는 적지 않았다. 레터링도 하시나요? 하는 주문이 들어오면 네, 합니다, 하고 같은 작업실을 쓰는 다른 타투이스트에게 넘겼다.

주희에게서 다시 연락이 온 것은 5월이었다. 그건 연락만 온 것이 아니고 정말로 사람이 온 것이어서 나는 근래 들어 가장 놀랐다. 작업실 동료들과 저녁을 먹고 다시 들어가는 길이었다. 주희에게 전화가 와서 받았더니 여기에 와 있다고 했다. 언니! 저 지금 광주역이에요. 오늘 잠깐 볼 수 있어요? 광주? 광주역이라고? 다른 광주 말고 여기 광주? 나는 그때 처음으로 목에서 시원하게 틔워지는 소리를 냈다. 늘 좀 공기가 막힌 듯 조용히 말하던 내가 목구멍을 전부 써서 소리를 내는 걸 보고 함께 걷던 작업실 동료들이 놀라워했다. 주희는 어디로 가면 볼 수 있냐고 물었고, 나는 어쩌다 광주에 있냐고 물었다. 물음표가 서로 챙챙 맞부딪치다가 주희가 먼저 대답해주었다. 남자친구랑 여행중이에요. 오늘은 언니 보려고요.

그 대답에 당연히 네 맘대로? 내 스케줄은? 하고 반박할 수 없었다. 반박할 수 있었지만 그럴 마음이 없었다.

나는 그 사람들이 그리웠다. 내가 만나고 이어왔던 사람들. 여기 말고 거기에서. 서울의 어느 거리에서 갑자기 만나서 제법 오래 얽혀 있던 관계들.

시간이 된다고 하자 주희는 내가 있는 쪽까지 와주었다. 꽈배기와 식빵을 파는 제과점에서 만났다. 어색하고 어색해서 그래도 여행인데 궁전제과 같은 곳에서 빵 먹어야 하는 거 아니니? 하고 물었는데 주희는 꽈배기를 결 따라 찢으며 다시 한번 분명하게 말했다. 언니 보러 온 거라고요.

말을 돌릴 수가 없구나 하는 마음이 들자 오히려 편했다. 눈앞의 주희를 살폈다. 너 아직도 교정이 안 끝났네? 그때 다른 사람들하고는 잘 만났어?(나는 유일하게 주희에게 반말로 말했다. 솔아와는 존댓말과 반말을 섞어서. 그게 좋았다. 전부 다른 거리감을 가지는 것이 좋았다.) 주희는 언니도 왔으면 좋았을 텐데, 진짜 너무 오랜만이잖아요, 하고 말하며 자기와 현우의 근황을 들려주었다. 올해는 일러스트 페어 취소됐어요. 좀 망친 해인 것 같긴 한데 이번 기회에 다른 작업도 해보려고요. 실크스크린 같은 거. 현우 오빠는 언론사 공채 준비중이에요. 이제 곧 토익 시험 본다던데. 사람이 아닌 공간의 근

황도 들려주었다. 아 참, 그 카페 없어졌어요. 우리가 가
던 카페요. 우리 맨날 앉던 자리 뒤쪽 창문으로 목련 나
뭇가지가 쏟아져 들어왔잖아요. 그거 진짜 예뻤는데, 없
어졌어요. 술집이 됐더라고요.

솔아씨는?

나도 모르게 목소리가 먼저 흘러나왔다. 주희가 꽈
배기와 함께 시킨 냉녹차를 한 모금 마시고 나를 쳐다
봤다. 왜 솔아 언니랑 연락 안 해요? 그렇게 물어서 몰
라⋯⋯라고 대답했다. 오래오래 무럭무럭 자라나는 사
이는 좋아하는 마음만으로는 안 되는 건가봐. 다른 영양
분이 있어야 하는데 나한텐 그게 없나봐.

솔아는 모른다. 종종 함께 걷던 산책길이, 딱 한 잔만!
하고 연거푸 오백 세 잔을 들이켜던 우리의 술자리가 얼
마나 내 숨통을 트이게 했는지. 실제로 숨을 쉴 수 있어
서 편한 마음에 깊은 곳의 숨까지 끌어올려 한숨을 내쉬
곤 했는데, 그때마다 솔아가 내 눈치를 보던 것을 알고
있었다. 그냥 그 모습이 귀여워서⋯⋯ 내버려뒀었다. 언
젠가 정정할 수 있을 줄 알았다. 솔아씨 나 진짜로 지금
솔아씨 때문에 한숨 쉰 거 아니야. 그런 표정 짓지 마요.
그러고는 깔깔 웃을 수 있을 줄 알았다.

효진은 나를 갉아먹었다. 나는 그렇게 생각했다. 틀린 생각도 아닐 것이다. 나는 내가 튼튼하다고, 충분히 튼튼해서 아프고 마른 친구를 위해 기꺼이 곁을 내어줄 수 있는 사람이라고 생각했다. 그 생각은 틀린 생각이었다. 나는 영양분을 잃어버린 친구 곁에서 함께 비쩍비쩍 말라갔다. 그걸 솔아가 눈치챘는지 못 챘는지 알 수 없다. 내 입으로 말한 적은 없었다. 내가 지금 허덕이고 있다고. 한여름 볕에 타버린 나무처럼 입이 말라서, 혀가 말라서 말할 기운이 없었다. 그게 어떤 사람에게는 무신경하게, 무례하게, 무관하게 보였겠지. 그것도 다 내 몫이라는 걸 알고 있다. 누구도 물기가 충분한 사람은 없다는 걸 그때는 몰랐다. 솔아라고 해서 바싹 마른 나에게 물을 줄 의무는 없고. 솔아가 물을 주고 싶어서 듬뿍 줬다고 해도 내가 받아 마시고 입을 싹 닦았을 거고. 그래서 솔아는 나처럼 지쳐갔을 거다. 내가 효진 때문에 그랬던 것처럼. 지수씨가 마른잎처럼 되어 나를 떠나가는 걸 겪고 나서야 알았다. 그런 말을 오랜만에 늘어놓아서 나는 조금 기분이 나아졌는데, 주희는 약간 질린다는 표정을 지었다. 내가 잘못 본 것은 아니었다.

둘이 똑같아. 똑같이 벽 같고 한 뼘도 침범하지 않으

려고 하고. 한번쯤은 그냥 무리해봐요 언니.

......

한쪽이 벽이면 한쪽은 담쟁이덩굴 같아야지, 언니.

머리를 양 갈래로 땋고 냉녹차를 쪼록 빨며 말하는 주희가 예쁜 할머니 같아서 나는 웃었다. 그제야 주희도 웃었다.

언젠가 솔아가 나에 대해 말한 적이 있다. 내가 그의 팔뚝에 타투를 새겨줄 때였다. 나를 보지 않고 고개를 숙여 흰 팔뚝에 작은 공룡이 그려지는 걸 보면서 솔아는 물었다.

지원씨는 말수가 적죠?

나는 그렇다고 했다. 아무리 봐도 많은 편은 아니었다. 기쁠 때 말이 많아지긴 하지만 그것이 절대적으로 많다고 할 수 있는 양은 아니었으므로. 그러자 솔아는 점점 작아지는 목소리로 말했다.

그게 고독하게 살아가는 사람들의 특징이라는데……
장 지오노가 쓴 『나무를 심은 사람』이라는 책에 나오더라고요.

솔아의 목소리는 작았지만 들리지 않을 정도는 아니었다. 이어서 그런 사람들은 혼자서도 잘 산다고, 확신

과 자부심으로, 지원씨 생각이 났어요, 뭐 그런 말들이
이어졌는데 잘 들리지 않았다. 라디오 볼륨을 서서히 줄
이는 것처럼 솔아의 목소리는 점점 작아졌다. 그리고 이
윽고 말을 멈추었다. 지잉지잉 하는 타투 기계 소리만
들렸다. 그리고 낮은 숨소리.

　나는 솔아의 말에 대답하지 않고 솔아가 말한 나에 대
해 생각했다. 나는 말수가 적은데 솔아는 어떤 책을 읽
고 그런 사람이 고독한 사람이라고, 고독한데 또 혼자서
잘 사는 사람이라고 말한다. 정말 그런가? 나는 고독한
가? 고독하다는 건 외롭다는 말인가? 외롭다는 말은 쓸
쓸하다는 말인가? 글쎄, 나는 외롭나, 얼마간 외롭지만
그게 무슨무슨 사람, 어떤 어떤 사람이라고 특징지어질
정도로 외롭나? 그 정도는 아닌 것 같은데…… 나도 모
르는 사이에 나는 그런 사람이 되었나? 내가 스스로를
그렇다고 느끼는 것과 실제 나 자신은 다르니까 그럴지
도 몰랐다. 그러나 분명한 건 내 감각은 그게 아니라는
것이었다. 그게 아니다. 솔아씨는 아무것도 모른다. 내
가 너를 모르는 것처럼. 나는 외로운 게 아니라…… 고
독하고 쓸쓸한 게 아니라…… 찔리는 것 같다. 뭔가를
예감하면 아프고 슬프다. 생생했던 것들이 모두 희미해

지고 결국 사라져버릴 거라는 절대 미래. 그런 걸 예감하면 찔리는 것처럼 아픔을 느끼는데 그게 너무 슬프다. 그게 정확히 내가 느끼는 나에 대한 감각이다. 그래. 그 당시의 나는 그런 생각을 했다. 솔아가 말해준 나와 내가 솔아에게 말하고 싶은 나에 대해.

그런데 다시 생각해보면, 그건 내 생각일 뿐이라는 생각을 못 했다. 나는 쏟아질 듯 많은 것들을 생각했지만 나에게 팔을 내놓고 마주앉아 있던, 작은 목소리로 뭔가 말을 걸던 솔아에게는 그저 침묵이었다는 것. 나는 솔아에게 그저 말을 건네지 않는 사람, 그가 건넨 말을 되돌려주지 않는 사람. 미안해요. 미안해 솔아씨. 무안했겠다. 무안했죠. 생각에 몰두할 것이 아니라 말을 건넸어야 했다.

솔아는 대체로 개인적이고 사적인 부분을 묻지 않았으나, 가끔은 물었다. 열 번을 참고 한 번 물어본다는 듯한 태도로. 나는 언제나 솔아 앞에서 조금 긴장했다. 언제 뭘 물어볼지 몰라서, 솔아가 묻는 것들은 전부 오래 생각해야 답할 수 있는 것들이라서 그랬다. 그러나 막상 솔아가 해주는 질문에 대답을 하다보면 속이 시원해지기도 했다. 묻지 않았다면 답하지 않았을 것들을 말하면서, 마음속에 있는 것들을 소리 내어 말하는 것만으로 시원한 느낌이 든다는 걸 알게 되었다. 종종 그런 순간이 있었다. 언제였을까. 지원씨는 왜 써요? 하고 물었던 순간. 그때 나는 효진을 잊으려고, 라고 말하지는 못하고 잊어버리려고, 털어버리려고 쓴다고 했다. 그러나 그 것만으로 나는 정말로 많이 털어낸 느낌이었고 솔아가 고마웠다. 언젠가 꼭 효진 얘기를 해줄게요, 속으로 그렇게 다짐하기도 했다.

하지만 좀 다르게…… 마음 같은 거 말고…… 차라리 사생활을, 대학 시절을, 중고등학교 시절을, 가족관계를 물어봐줬다면 어땠을까. 나는 조금 더 빨리 체념하는 마음으로 솔아에게 이 모든 것을 말할 수 있었을까. 그런 생각도 해보는 것이다. 학창 시절에 어땠어요? 하고 물어보면 내내 각오처럼 품고 있던 말을 쏟아내는 나를. 저는 아주 별로였어요. 친구라곤 딱 하나 있었는데요…… 하고 고해성사하듯 떠드는 나를 말이다. 그러면 솔아의 표정이 어떨. 웃지 않는 솔아. 입을 다문 솔아. 내 앞에 있지만 멀어질 태세를 취하는 솔아. 그 순간이 두려워서 말하지 못했다. 솔아가 묻지 않았어도 얘기할 수 있었을 것들을. 하지만 어떤 이유건 간에, 얘기하지

126

않아서 진짜로 멀어졌지. 마음이 멀어지는 일이 두려워서 진짜로.

나 사라지지는 않았어.

언젠가 솔아에게 말을 완전히 놓게 되거든 맨 먼저 그렇게 말해보고 싶다고 생각했다.

그런데 모서리에 있어.

그렇게도 말해본다. 가장 편안한 목소리로.

모 — 서 — 리 — . 그렇게 발음해본다. 그리고 조금 다르게도 발음해본다. 목 — 소 — 리.

나 솔아씨 목소리 좋아했어. 그렇게 말하는 연습을 해본다. 다시 전화를 거는 데, 휴대폰을 들어올리는 데 얼마나 걸릴지 모르지만 나는 지금 목소리를 틔우는 중이야.

그런데 우습지. 그런 걸 연습하느라 나는 또다시 내 앞에 마주앉은 주희에게 말없음을 선사하고. 한참을 기다려주던 주희가 손을 들어 허공에 대고 똑똑, 노크하는 듯한 제스처를 취한다. 그래 나 여기 있어. 아직 모서리에.

이무기 애인

주희에 대해서라면 할말이 많다. 말하자면 유리구슬들이 꿰인 목걸이. 그런 게 떠오른다. 예전에 아주 어릴 적에, 누나가 읽던 동화책에서 본 장면과도 같다. 동화책의 제목은 '피오리몬드 공주의 목걸이'였고 그 공주는 결혼이 하기 싫은 마음에 아버지가 데려온 결혼 상대자들을 예쁜 구슬로 만들어 자신의 목걸이를 장식한다. 그러니까 구슬 하나에 사람 하나인 셈이다. 구슬이 된 사람들은 영영 거기에 있게 되던가? 아닐 것이다. 동화에는 진짜 주인공이 있었고 현명한 주인공은 목걸이를 칼로 끊어 구슬이 된 사람들을 다시 사람으로 돌아가게 해준다.

주희의 유리구슬 목걸이에도 사람이 하나씩 걸려 있는 듯하다. 결혼이 하기 싫은 공주와는 다르게 주희는 자신이 사랑한 사람들을 구슬로 만들어 꿴다는 점에서 조금 다르지만. 사람들이 떠나도 주희에게는 구슬이 남는다. 주희의 구슬이 떠난 사람들로만 이루어져 있는 건 아니지만, 떠난 사람들은 모두 주희의 구슬이 된다. 주희는 그들을 작고 단단한 구슬로 만들어 틈 날 때마다 손으로 굴리고 눌러보고 매만진다. 떠난 사람들이라고 했지만, 그들의 입장에서 보면 떠난 사람은 주희일지도 모른다. 친구든 애인이든. 그러나 그런 것은 중요하지 않다. 주희가 매만지고 매만지는 것은 빈자리에 가깝다.

주희는 그 목걸이를 걸고 다니는 사람은 아니다. 상자에 넣어두고 혼자만 보는 사람이라면 모를까. 내가 아는 주희는 그런 사람. 상처를 타투처럼 새긴다면 보이는 곳에 새기는 사람이 아니다. 목이나 코 안쪽 같은 곳에 새길 사람이다. 숨 쉴 때마다 그 사실을 인지하면서도 아 그렇지 내 거지 나에게만 보이지, 생각하면서 다른 사람에게는 보이지 않게 하고 그걸 티 내거나 설명하는 사람이 아니다. 나는 어쩐지 주희가 꿴 구슬들의 이름을 알 것만 같다.

가장 먼저, 홀로 오래 꿰여 있던 구슬은 주희의 동생일 것이다. 주희의 동생이 죽었다는 얘기를 사귄 지 이 년이 다 되어서야 들었다. 실은 알고 있었는데, 알고 있었다기보다 그런 것 같았는데 아는 체하거나 물어볼 수가 없었다. 죽음을 언급하는 순간 주희가 다른 사람이 될 것 같았기 때문이다. 주희는 가끔 혼잣말을 했다. 유령을 보는 것처럼, 누군가를 똑바로 보고 말하는 것 같았지만 누구보다 유령을 믿지 않을 사람이기에 신기해했던 기억이 있다.

그리고 솔아와 지원. 주희가 사랑한 여자들. 그들과는 얼결에 이루게 된 모임에서 만났다. 사람들은 어떻게 섞이고 엮이는 걸까. 나는 주희가 섞인 건 그들이지만, 나와 엮여버렸다고 생각했다. 주희에게 내 말은 그다지 영향력이 없었으나 솔아와 지원의 말은 영향력을 지녔다. 사소한 결정부터 감정 상태, 인생 전반의 태도에까지 널리 널리. 우리의 첫 여행지를 정할 때 주희는 강릉에 가고 싶다고 했다. 강릉엔 왜? 라고 묻자 솔아 언니가 거기 바다가 좋대, 라고 대답했다. 두번째 여행지는 광주였다. 그때는 묻지 않고도 알았다. 지원이 광주에 있었기 때문이다. 그림만 그리던 주희가 글을 쓰게 된 것도 그 모임에서다. 지원과 솔아는 읽기와 쓰기를 가장 편안하게 생각하는 사람들이었다.(나는 지금도, 기자가 되었어야 할 사람은 내가 아니라 그들 중 하나가 아닐까 생각하곤 한다.) 지원이 써내는 자신의 이야기, 솔아가 들려주는 독후감이 주희로 하여금 작업 노트와 메모와 시를 쓰게 했다. 주희에게는 그렇게 선명하게 지원과 솔아가 스몄다. 그들이 서로 섞였다면 나는 어디에 있는지, 아주 조그맣게 흔적이라도 남기지 않았을지 싶어 세계지도에서 우리나라를 찾듯 샅샅이 살폈지만 아무래도 없는 것 같았다.

나는 주희의 구슬이 되고 싶었다. 나는 되고 싶은 게 별로 없었다. 아주 오랜만에, 거의 최초로 정확한 욕망이 들었다. 어느 면으로 보자면 주희도 나의 구슬이 된 셈이다. 구슬을 갖는 일은 뿌듯하면서도 조바심이 나는 일이다. 언제라도 잃게 될까 전전긍긍하게 되니까.

*

솔아와 지원과 주희와 함께, 넷이서 모임을 할 때에 그들은 모두 나보다 어렸는데, 이상하게 지원씨는 걱정이 안 됐고 이상하게 솔아씨에게는 정이 갔다. 안쓰럽다고 해야 하나. 겉으로 보기에 두 사람 중 더 에너지가 있어 보이는 쪽은 솔아씨였는데도 말이다. 솔아씨는 나를 정말로 쉼 없이 놀렸다. 처음엔 나를 좋아하는 줄……(부끄럽지만……) 알았다. 나중에 알고 보니 그냥 침묵을 못 견디는 사람이었다. 나는 그가 분위기를 돋우기 위해 노래방에서 흔드는 탬버린 같은 것…… 그러니까 모임에서 대화가 편하게 돌게끔 하기 위해 쓰는 소재 같은 것이었다는 걸 한 두어 번 더 만나고야 알았다. 기분이 나쁘지는 않았다. 사람들이 나를 보고 웃는 일은 그냥 좋았다. 나는 유머라곤 없는 사람이고 평생 그래왔다. 그들 사이에서는 내가 웃기는 사람이어서 좋았다. 진지할 줄밖에 모르는 사람을 가지고 쉼 없이 농담을 하는 사람들. 나는 아무것도 한 게 없는데 나로 인해 웃는 게 좋았다. 여자들의 웃음은 대부분 남자들의 웃음보다 수준이 높은 것 같다고 사는 내내 생각해왔다.

그러나 솔아가 편하고 어쩐지 좋았던 것은 그래서만은 아니고.

모임 초기, 솔아는 나를 앞에 두고 울었던 적이 있다. 삼겹살을 굽다가 울어서 꽤 당황했지만 가까스로 맡은

일(삼겹살을 먹기 좋게 굽기)을 해냈다. 우리가 하던 모임은 이 주에 한 번씩 만나서 읽은 책과 스스로 쓴 글을 공유하는 모임이었는데, 각자의 퇴근 시간에 따라 당일 취소가 되는 날이 아주 드물게 있었다.(그 모임에 갖는 애정에 비례하여 참여도가 언제나 높았다.) 그날은 나와 솔아씨가 일찍 도착한 날이었는데, 주희와 지원에게서 모임 시작에 임박하여 못 가게 되었다는 연락이 왔다. 솔아씨와 나는 그만 갈까, 여기서 책이나 더 읽다 갈까, 하다가 저녁을 같이 먹기로 했다. 고기를 먹자고 한 건 솔아씨였다. 스물아홉이라는 솔아는 열아홉 살 때 끊어진 옛 친구 얘기를 하며 울었다.

친구들은 자꾸만 떠나가고 그때마다 처음인 것처럼 속상하네요.

나는 물었다.

애인들은요?

그러자 솔아가 눈가의 물기를 지운 채 대답했다.

애인은 별로…… 떠나도 안 슬퍼요. 어차피 연애의 결말은 헤어지는 거니까.

그 말에 나는 약간 충격을 받았으나 티 내지는 않았다.

왜 그렇게 친구를 좋아해요? 아직까지 생각하고 슬퍼

하고.

좋아하는 친구만 좋아해요.

솔아에게 해줄 수 있는 말은 거의 없었다. 나는 그저 서른이 되면 훨씬 나아요, 저도 스물아홉 살 때 너무 힘들었거든요, 그런 말이나 건넬 수 있을 뿐이었다. 해놓고 꼰대 같았겠지…… 자책했는데 솔아는 웃었다. 고마워요, 하고 대답했다. 그럴 때 솔아는 놀리지 않았다. 빈정거리지도 않았다. 그저 받았다. 자신을 위한 말들을. 돌이켜보면 그런 것조차 좋아하는 사람들을 위한 특별 대우였음을 깨닫는다. 누군가가 나에게 보여줬던 마음은 시간이 지나서야 더 생생해지기도 한다는 것이 아름답기도 슬프기도 하다.

솔아가 우리를 좋아했다는 것은 그가 말하지 않아도, 누가 알려주지 않아도 알 수 있었다. 그날 고기를 먹으며 나눈 이야기 끝에, 솔아는 옷소매로 하도 문질러서 눈 주위가 빨개진 채 고백했다.

언젠가 우리도 헤어지겠죠, 그런 걸 생각하면 너무 슬퍼요. 벌써부터요.

나는 그런 마음이 놀랍고 좋았다. 먼저 슬퍼하는 능력, 그런 것이 놀라웠고 누군가 우리 넷을 하나로 생각하여 좋아한다는 것이 좋았다. 나는 어땠나. 우리 넷을 그렇게 좋아했나. 물론 좋아했지만, 나는 주희만을 좋아했다고 해야 더 솔직한 것 같다.

그날 솔아는 나에게 어린 공룡들이 나오는 애니메이션을 추천해주었다. 어린 공룡 친구들이 싸우고, 싸우면서도 서로를 다독이고, 함께 울고 웃으며 같은 목적지를 향해 가는 것이 감동이라고 했다. 그런 감상을 말하면서 또 금방이라도 울 것처럼 훌쩍거렸다. 내가 주희를 좋아하고 있는 것을 눈치챘던 걸까? 여기 나오는 애 주희 닮았거든요, 하고 덧붙이는 말에 나는 집으로 돌아오자마자 그 만화영화를 봤다. 오로지 주희를 닮았다는 그 공룡만 봤다. 얍얍얍, 귀여운 공룡이 내는 소리가 어쩐지 정말로 주희가 누군가를 응원하고 스스로에게 힘을 불어넣을 때 내는 소리와 비슷한 것 같아서 웃음이 났다. 그러니까 나는 그때부터 이미 주희를 좋아하고 있었다. 주희도 알았을 것이다.

주희가 마음에 들고 싶고 기준으로 삼고 비교하고 탐색하느라 머릿속에 언제나 떠올리는 사람은 내가 아니라 솔아나 지원이라는 걸 나는 안다. 주희에게 그들은 왜 그렇게 중요한 걸까? 그런 생각을 하다보면 어쩔 수 없이 주희에게 나는 얼마나 중요한 걸까? 하는 생각으로 흘러가곤 한다. 나는 이걸 '나 깔때기'라고 부른다. 타인에 대한 모든 고민들이 결국 나를 향하고 나를 위한 것으로 흘러가는 현상. 물이 좁은 입구를 통과해 한곳으로 떨어지는 것처럼.

내가 왜 좋았어?

그렇게 물으면 주희는 일 초 만에 대답했다.

생색 안 내는 남자여서.

생색내는 남자를 만나다가 헤어졌구나…… 바로 알 수 있었다. 주희는 유리컵처럼 투명해서 그 안에 담긴 것을 그대로 보여줬다. 그러나 그 안에도 가라앉은 것들이 있겠지. 기울이고 숙여도 보이지 않는 밑바닥의 것들 말이다. 그런 건 왜 알고 싶을까? 누군가의 치명상. 누군가의 밑바닥. 그런 걸 안다고 해도 사랑을 유지하는 데 아무런 도움이 되지 않는데 말이다. 나를 보자. 나나 보자. 주희가 못내 궁금하고 궁금증이 답답증으로 이어질 때면 주문처럼 되뇌었다.

주희가 왜 나를 선택했을까? 나는 자꾸 그런 의문을 품는다. 나에 대한 고민이라기보다는 주희를 알고 싶은 마음에 더 가깝다. 나는 언제나 나였다. 비교적 단순하고 단일하다고 생각한다. 주희는 나무 같다. 나이테가 촘촘하고 뿌리가 복잡한. 새싹 같은 파란 잎을 틔워내지만 그 속은 어딘지 삼백 살일 것 같다는 느낌이 있다.

주희는 나와 달랐다. 꽤 다르고 꽤 웃겼다. 날 선 말을 해도 안 미운 여자였다. 나는 주희가 그렇게 말할 때마다 좋았다. 그 날이 주희의 중심이어서겠지. 주희는 차가운 날을 솜사탕으로 감싼 것 같은 인간이다. 사귀기로 했을 때도 그랬다. 나는 언제나 그랬듯 그전에 배운 연애 상식을 주희에게 적용하고 있었고 호칭 문제에 대해 이야기하다가 오빠라고 부르지 않아도 된다고 (오버를) 했다.

주희는 말했다.

내가 알아서 할게.

어…… 나는 그냥, 그렇게 해도 나는 괜찮다고.

그렇게 얘기하다가 막상 싸울 때 반말하면 인상 쓰는 놈들 너무 많이 봤어.

어떻게 봤어?

사귀었으니까.

아아……

그럴 거면 그냥 처음부터 오빠라고 불러달라고 했으

면 좋겠어. 자기 윤리 검증받자고 나 만나는 것도 아니
고⋯⋯

투덜대는 대상이 나는 아니었지만 나 또한 언제든 그
쪽으로 갈 수 있었고 잠깐 너그럽게 굴었던 내가 부끄러
워졌다. 주희는 가끔, 아니 자주 나에게 단호했는데 주
로 내가 나 자신을 길게 설명하려 들 때 그랬다. 주희가
가장 싫어하는 것은 자기 연민과 자기과시였다. 하나 같
은 둘. 슬픔에 취해 과시하게 되는 것. 이야기 도중 그런
게 조금이라도 섞여들면 주희는 여지없이 듣기 싫어했
다. 주희는 자신이 한 말을 스스로도 잘 지켰다. 자신을
설명하는 부류가 아니었다. 그러나 나는 주희가 나에게
자신을 설명하기를, 너만은 나를 이해해줄 거라고 믿어,
하고 터무니없이 기대고 기대하기를 바랐다.

*

주희와 솔아와 지원과 함께했던 모임은 작은 화분 같
았다. 우리는 폭신한 흙에서 비슷한 것을 빨아먹으며 자
랐고 분갈이의 시기를 맞았다. 별 탈 없던 모임은 급작
스레 종료되었다. 그전부터 모임은 이미 잘 익은 사과처

럼 반으로 쪼개져 있는 것 같았다. 솔아와 지원, 나와 주희로. 그 작은 집단에서도 쪼개진다. 쪼개짐은 늘 발생한다. 솔아와 지원의 관계에 보이지 않는 금이 가서 모임에도 금이 간 건지, 모임의 수명이 다 되었을 때 공교롭게 그들이 멀어지게 된 건지는 알 수 없지만 말이다. 솔아와 지원은 싸운 것도 아닌데 헤어졌다. 솔아가 그토록 슬퍼하던 순간이 비로소 온 것이다. 그때 솔아는 어땠을까? 미리 슬퍼해둬서 막상 그 순간에는 홀가분했을까? 아니면 예감이 무색하게 깊이 슬펐을까.

나는 멀어진 둘을 보면서 바싹 구워지는 고기를 앞에 두고 왜 친구들은 나를 떠날까요, 하고 중얼거리던 솔아 씨 편을 조금 더 들었다. 주희는 자신이 사랑하는 두 언니가 대판 싸우고 멀어진 것도 아니고, 진했던 물감에 물을 끊임없이 부어 색을 희미하게 하는 것처럼, 그런 흐릿한 방식으로 멀어진 것에 크게 충격을 받은 것 같았다. 그런 일은 생각보다 많단다, 같은 말을 하지는 않았다. 주희 앞에서 잘난 척 비슷한 것, 아는 척 비슷한 것은 하고 싶지 않았다. 그냥 그런 사람들이 있잖아, 하고 말했다. 싸우지 못하는 사람들. 나도 그랬는걸.

함께하던 모임이 끝나고 솔아와 지원이 먼 사이가 되

었을 무렵, 주희는 작가가 되었다. 본인은 독립출판물 같은 걸 낸 것 가지고 무슨 작가냐고 했지만. 스스로에 대한 보이지 않는 기준이 그렇게나 높았지만 나에게 주희는 이미 작가였다. 나는 주희를 만화가라고 부르기보다 작가라고 부르고 싶었다. 글과 그림을 모두 만들어내므로. 주희가 쓰는 이런 글이 좋았다.

사람들은 하늘로 날려버린 풍선들 같고 나는 공원을 동분서주 뛰어다니며 날아가는 풍선을 잡기 위해 펄쩍펄쩍. 도가니가 아픈 건 그래서일까요.

동화 같기도 시 같기도 했다. 주희의 문장은 종종 제 멋대로 끝났는데 그 점이 좋았다. 솔아와 지원과 함께 모임을 하던 때 주희는 주로 시를 써 왔는데 이제 주희는 시를 쓰지 않는다. 열심히 네모 칸을 나누고 그림을 그린다. 그 안에 글을 적는다. 주희가 만들어내고 지배하는 네모 칸이 있다. 주희는 그 네모 칸 안이 좋은 것 같았다.

주희야 너도 풍선 같아. 말해주고 싶었다. 나는 언제나 주희가 날아갈까 두려웠다. 사랑해, 하는 내 말에 대답하지 않고 나를 빤히 쳐다만 볼 때. 요즘 좀 피곤해? 하고 물어도 동그랗게 뜬 눈으로 아니? 할 때. 그럴 때면 내 옆에 바싹 붙어 앉은 주희가 몸만 여기에 있고 영혼은 어디 멀리 가고 있을까봐 괜히 허공을 봤다. 어디쯤 가고 있나, 하고.

나는 주희가 궁금했다. 나는 질문이 많았고 주희는 주로 대답해주는 쪽이었다. 주희의 하루. 주희가 보는 만화. 주희가 읽는 책. 주희의 몸. 주희의 옛날. 전부 좋고 궁금했다. 교정중인 주희에게 어쩌다 교정을 시작했어? 하고 묻자 주희는 덧니가 너무 심해서, 하고 대답했다. 보고 싶었다. 덧니가 있던 시절의 주희를. 주희에게 너는 내 어린 시절이 궁금하지 않냐고 물었을 때 주희는 궁금하지 않다고 대답했다. 그 말에 나는 별로 상처받진 않았고 조금 머쓱했지만 후에 그마저 궁금해하긴 했다. 왜 너는 나의 어린 시절이 궁금하지 않을까?

나는 언제나 사랑이 어려웠다. 사랑 안으로 들어가는 순간도, 서로를 단단하게 감싸던 사랑을 찢고 나와야 하는 순간도. 사랑 안에 사는 순간들도. 나는 언제나 눈치를 살폈다. 사랑하는 이의 감정과 기분과 어제와 오늘을. 자격지심과 자존심을. 제대로 봤는지는 모르겠다. 오로지 내 시선으로만 상대를 보니까. 편파적인 렌즈를

겼을 것이다. 하지만 다른 방법이 없어 열심이었다.

그래도 사랑의 어떤 고유한 성질 하나 정도는 파악하고 있다고 믿었다. 그것은 바로 오만해지지 않는 것이다. 사랑받는다고 우쭐해지지 않는 것. 사랑은 그런 것을 비웃는다. 별 볼 일 없는 인간들이 넉넉한 사랑에 취해 자기가 뭐라도 되는 줄 아는 양 구는 바로 그 순간을, 그 틈을 파고들어 스스로의 몸을 찢는다. 찢을 수 있는 이들은 언제나 더 현명한 이들. 그들은 언제나 그들이 원하는 그들이 되면 뒤처지고 따라오지 못하는 나를 버리고 갔다. 무럭무럭 자라나는 사랑을 잰걸음으로 쫓아가도 모자랄 판에 계속 거기에, 내가 알던 사랑에 멍청하게 머문 나를.

이별 후 내가 더 현명해 보일 때도 있었다. 그럴 때는 조금 우쭐해지지만, 그러다가도 그게 다 무슨 소용인가 싶다. 이미 헤어지고 난 이후인데. 아무 사이가 아니게 되었는데 뭘 어쩌자는 건가 싶어진다. 그래도 그들은 분명히 좀 우스웠다. 헤어진 후 아무렇지도 않게 말을 거는 여자들이 있었다. 그들은 해맑은 표정으로 왜? 이상해? 라고 물었다. 애인이 아니어도 친구는 될 수 있잖아? 하고 나에게 상대성이론을 처음 발견한 아인슈타인처럼 굴고 싶어했다. 단일하게 설명될 수 없는 무수히 복잡한 관계들이 있으며 그걸 추구하는 이가 바로 자기 자신이라고 주장하고 싶어하는 듯했다.

이때 오만한 건 그들이다. 왜냐하면 나를 바보로 알았으니까. 나는 헤어지면 친구로는 남지 못하는 성격이라고 분명히 못박았는데도 불구하고. 관계에 대한 복잡성과 명료성을 논하기 전에 나는 그저 귀찮았을 뿐인데. 이전의 나에게 그 여자들은 중요한 존재였지만 이제는 더이상 중요하지 않은 존재들이 되었고, 어째서 내가 당신과 친구가 되고 싶어할 거라고 여겼는지 느닷없이 온 연락도 반가워할 거라고 생각했는지 의문이었다. 중요한 건 지금뿐이다. 그리고 이런 생각을 나보다 더 굳게 믿고 있는 건 주희다.

*

주희가 만화가가 된 뒤에도 나는 아무것도 아닌 채로 있었다. 일 년이 거의 다 지나갈 무렵에야, 일간지 신입 기자가 되었다. 주희가 될 거야 오빠, 하고 말해준 것처럼 정말로 기자가 되었다. 오히려 내가 얼떨떨했다. 늘 기자가 될 거라고 말했지만 사실 엄청나게 되고 싶었던 건 아니어서 더 그랬다.

　나는 뭐가 되어야지 하고 생각해본 적이 거의 없었다. 인간으로서도 직업인으로서도 마찬가지. 학창 시절 나는 항상 주인공의 단짝 친구 역할이었다. 인터넷 소설 세대라 더 명확하게 나의 캐릭터를 파악할 수 있었다. 주인공은 아니야. 그런데 항상 주인공 옆자리였다. 잘나고 눈에 띄는 친구들이 왜 항상 나를 택하는지 모를 일이었다. 심복? 책사? 그런 비슷한 롤이었을까. 딱히 까부는 성격도 아니었으므로 무리에 한 명씩 있는 광대 포지션은 아니었을 것이다. 그러나 깊이 생각하지 않았고 그런 게 좋았다. 자리가 있다는 것. 또래 무리에서 인정받는다는 것. 쟤는 저 자리가 딱이야. 말수 적고 재미없지만 쟤는 이 무리에 필요해, 그런 시선을 받는 게 좋았다. 그럴듯해 보이니까. 있어 보였으니까. 누군가가 나를 미더운 존재라고 승인하는 것. 별 무리 없이 승인을 받는 위치이자 캐릭터인 것. 대학교 때도 마찬가지였다. 때와 장소 안 가리고 진지하지만 미움은 딱히 산 적 없는, 그 정도 남자 후배, 동기, 선배로 살아왔다. 나는 홀로 무엇이어야 하고 누군가에게 무엇이어야 하는지 캄캄한 채로 혼자가 되었다. 무엇이 되어야 하지, 깊이 고민하지 않고 이십대가 지나갔다.

나에게는 중요한 게 몇 없었다. 기자가 되는 일도 사실 중요한 게 없어서 선택할 수 있는 직업이었다. 많이 설명할 필요가 없으니까. 중앙지의 기자가 되고 싶다고 하면 다들 그래 그럴 만하지, 끄덕끄덕하고 마는 게 자연스러우니까. 그럴듯한 것. 나에겐 그런 것이 중요했다. 어느 정도 그럴듯하고 대학 교육을 받은 사람으로서의 몫을 해내는 일. 기자는 그런 면에서 참 그럴듯한 일이었다. 경제적 독립도 주고 사회적 영향력도 주니까. 나는 언제나 적당히 정의로운 사람일 수 있었고 너무 속물적인 사람이 아닐 수 있었다. 직업 덕분에.

나는 문화부에서 일했다. 책 칼럼을 쓰기도 하고 출판계 전반의 경향에 대한 기사를 쓰기도 했지만 가장 많이 쓰는 것은 신간 안내 기사였다. 인터뷰 같은 것도 자주 했다. 솔아와 지원과 함께한 모임에서 했던 것들을 정말로 써먹을 수 있는 직업이었다. 나는 둘에게 고맙다는 인사를 하며 취직 소식을 전했다. 솔아씨는 깨방정을 떨며 오오 드디어 칼보다 강한 펜의 삶 살겠구만…… 문화계의 지면 권력이 되었구만…… 하고 우스갯소리를 했다. 그게 반갑고 웃겼다. 솔아씨의 장난기 어린 웃음이 떠올라 나도 같이 맞장구를 쳤는데 씁쓸했다.

지원씨는 여전히 광주에서 지낸다고 했다. 모임을 떠난 후, 지원은 서울의 전셋집을 빼고 광주로 갔다. 어떤 사정이 있는지는 묻지 않았는데 나중에 주희가 알려주었다. 광주는 고요하고 좋은 곳이라고 했다. 바쁘겠지만 또 놀러오라고도 말해주었다. 지난해였나, 지원이 사는 곳에 갔던 게. 광주로 내려간 지원을 보러 간 것이 주희와 함께 간 두번째 여행이었다. 우리는 조심조심 서로의 안부를 묻다가 끊임없이 마지막 인사를 주고받았다. 페이드아웃으로 끝나는 90년대 가요처럼. 고마워요. 아프지 말아요. 지원씨도 아프지 말아요. 잘 지내야 해요. 보러 갈게요. 네, 좋은 하루 보내요. 좋은 하루 보내요. 우리의 대화는 거기에서 끝났다. 더 하고 싶은 말이 있긴 했는데, 길게 썼다가 다 지우고 말았다.

내가 출퇴근에, 취재에 적응하는 동안 독립출판물 작가 주희는 점점 자랐다. 자신이 원하던 화분으로 옮겨갈 채비를 마치고 절반 정도는 정말로 옮겨갔다. 그러니까 기성 출판의 세계로. 주희의 글과 그림을 눈여겨보던 사람들 덕분에 그림과 산문을 함께 묶은 에세이를 내기도 했고, 다른 작가의 책에 들어갈 삽화를 그리고 표지에 사용될 일러스트를 그렸다.

*

그 일은 든든하던 이들과 거의 완전히 멀어지고 난 뒤에 일어났다. 우리가 제각각 찢어지고 난 뒤 겨우 일 년 만의 일이었고 그 사실이 언제나 주희를 놀라게 했다.

내가 아는 시간의 대부분 동안 주희는 강했다. 어떤 것을 선택하는 일에, 전력으로 노력하는 일에, 그걸 생색내지 않는 일에, 실패해도 뒤돌아보지 않는 일에, 뒤돌아본대도 담담하게 반성하거나 이해하는 일에 강했다. 스스로를 밝히는 일에, 동시에 밝히지 않는 일에 강했다. 주희는 사람들이 자기도 모르게 건네는 편견에 분노하지 않고, 그들에게 퉁명스럽게 대답하거나 속시원하게 욕을 갈겨주지도 않고, 그저 웃으면서 상황을 모면하고 무화시키는 데 강했다. 주희는 오래 참아온 사람. 참는 사람을 이길 방법은 없다. 아무 패도 내주지 않기 때문이다. 주희가 진심으로 싫어하는 사람에게 욕을 하다가도 가장 마지막에 뱉는 말은 항상 '그래……'이다.

'그래…… 그렇게 살아……' 주희가 그렇게 말하는 걸 들으면 정말이지 그렇게 살고 싶지 않아진다. 최선을 다해 그쪽으로는 가지 말아야지 생각한다.

누구보다 강했는데, 근래에는 그러지 못했다. 주희는 지쳤다. 주희는 분갈이를 하려고 아픈 걸까. 주희와 나는 여전히 같은 화분에 있는 걸까. 내가 거기에 같이 심겨 있는 게 맞긴 할까.

미움받으며 사는 것과 사랑받으며 죽는 것. 그 둘 중 하나를 택하라면 어느 쪽을 택하겠는가? 보통 때의 주희라면 무조건 삶 쪽이었다. 당연하지. 내 삶보다 중요한 건 없어. 주희는 그렇게 말할 터였다. 동생이 죽은 뒤로 그렇게 생각하게 된 것 같다고, 주희는 말한 적이 있다. 죽고 나면 없어. 아무것도 없어. 살아 있는 게 다야, 그게 전부야. 살아 있을 때 하고 싶은 걸 해야 해. 주희는 선택의 중요성을 믿었고 자신이 믿는 것을 지키며 살아가고 싶어했다. 이제까지 자신의 삶이 꾸리는 대로 꾸려졌다고 믿었다. 굳센 의지를 통해. 그리고 균질한 노력을 통해. 자신의 삶을 자신이 바라는 방향으로 이끌었다고 믿었다. 그랬기 때문에 삶을 사랑했다. 하루하루의 일상이 차곡차곡 쌓이길 빌었다. 그러나 그때 처음으로 주희는 자신이 후자를 선택할지도 모른다는 생각을 했다.

주희는 미움받고 있었다. 특정되어 미움을 받는다는 게 이토록 죽고 싶은 일인지 이전에는 알 수 없었다. 연예인이나 유명인이 아니었기 때문에 알 수 없었다. 어떤 사람들에겐 주희가, 이제 막 연재처를 얻은 신인 작가가 모든 것을 다 이룬 유명 작가로 보였을까. 누군가에게는 주희의 삶이 탐나는 삶이었는데 주희 자신이 그걸 인지 못한 게 실수였을까.

주희는 독립출판물로 출간했던 가족 만화를 한 웹진 플랫폼에서 연재하게 되었다. 출판사에서 웹진 창간을 맡게 된 어느 편집자가 독립출판물 전문 서점에서 주희의 만화를 발견하고 론칭에 맞춰 연재 제안을 해왔던 것이다. 그때 주희는 쉬지 않고 수정본을 그리면서도 행복해했다. 그건 특히 주희가 오래 품어온 자신의 첫 작품이었으니까. 그리고 완성된 파일을 넘기던 날, 새삼 떡제본의 만화책을 이리저리 들어 보며 이걸 정말 다른 사람들이 보네, 하고 신기해했다.

주희의 만화는 논픽션이 아니라 픽션이었는데 귀여운 그림체 때문에 독자들은 자주 생활툰으로 믿기도 했다. 처음엔 그저 댓글 몇 개였다. 무시하자고 생각해도,

아무것도 없는 백지에 있는 두어 개의 비판 댓글은 무시하기가 어려웠다. 그래도 시간이 지나면 모두 잊겠지 싶었는데 미묘하게 조금씩 늘었다. 몇몇 독자가 거슬린다고 하는 대목이 겹쳤고 공감수가 오, 십씩 올라갔다. 흐름을 읽다보면 남자인 동생을 위해 장녀인 누나 캐릭터가 항상 희생한다고, 일상적인 대사인 것 같지만 함의를 유추하면 소름 끼치는 말들이 있다고, 엄마 아빠 캐릭터도 폭력을 방관한다고, 모든 표현들이 수동공격이며 학대에 가깝다는 글이 올라왔을 때였다. 어떤 댓글은 조심스럽고 정성스러웠고 어떤 댓글은 무성의하고 거칠었다. 그 문제를 두고 거슬린다고 하는 사람들끼리 댓글창에서 논쟁을 벌였는데 그 글들이 조각조각 캡처되어 트위터로 퍼졌다.

트위터로 옮겨가며 비난과 덧붙이는 말의 수가 걷잡을 수 없이 늘었다. 주희를 경유하여 이런저런 이야기들도 딸려 나왔다. 창작자들이 게으르고 부주의하다는 이야기, 원래 싫어했던 작가들이 왜 잘되는지 모르겠다는 이야기, 편집부는 그런 거 안 거르고 뭐 했냐는 이야기들. 원래 댓글이 지적했던 이야기는 잘리고 흩어지며 거세졌다. 맞기도 하고 틀리기도 한 말들이 지나가기를 기다렸지만 이상하게도 일은 커져만 갔다. 주희와 비슷한 소재, 혹은 비슷한 그림을 그린다는 작가들까지 모조리 끌려 나왔다. 어느 작가는 사과를 했고 어느 작가는 싸웠다. 주희는? 가만히 있었다. 놀란 가슴을 부여잡고.

이윽고 창작물에 대한 평가가 사람에 대한 평가로 옮겨오자 주희는 두려움을 느꼈다. 집요한 사람들이 있었다. 주희의 작업물 홍보용 인스타그램과, 심지어 팔로워가 몇 없는 개인 인스타그램에도 댓글이 달렸다. 트위터에 주희 이름을 검색하면, 누군가가 그 작가 홍보용 계정은 달아놓고 개인 계정에는 버젓이 사진을 올린다고 써놓은 것이 가장 먼저 보였다. 주희의 개인 인스타그램은 몇 년 전부터 비공개 계정이었고, 그걸 볼 수 있는 사람은 오래전 언젠가 휴대폰 너머로 모르는 사이지만 그저 약간의 좋은 마음으로 에스엔에스 친구를 맺은 사람 중 한 명일 터였다. 주희는 먼 곳의 선의를 생각하는 사람이었다. 잘 모르는 사람도 좋아할 수 있다고 믿었다. 자신이 수많은 창작자들을 그렇게 좋아했듯이. 그러나 그것만을 믿은 나머지 악의에 대해서는 잘 몰랐다. 도대체 나에게 왜 이렇게까지……? 라고 생각했지만 아무리 생각해도 알 수 없었다.

지나가겠지, 그만 검색하자, 스스로를 설득했지만 자기 애기로 낄낄거리는 사람들이 저기 어딘가에 있다고 생각하면 침착해지지가 않았다. 주희가 하루종일 침묵하다가 내뱉는 유일한 말은 그런 것이었다.

중고등학교만 졸업하면 이런 일은 없을 거라고 믿었는데.

누군가의 행동 하나하나에 경멸의 표정을 하고 일부러 들을 수 있는 곳에서 수군거리던 아이들이 떠오른다고 했다. 사람들의 반응을, 평가를 예측할 수 없다는 게 주희의 하루하루를 불안하게 만들었다.

심장이 너무 빨리 뛰어.

잠자리에서 가슴 부근에 손을 얹고 그렇게 말했다. 두려운 표정을 짓고 있겠지. 어두운 방안에서도 주희의 표정이 보이는 것 같았다.

그렇게 그리지 말았어야 했을까? 그렇게 살지 않을 순 없었는데.

나에게인지 어두운 방에게인지 가만가만 말하는 주희의 목소리에는 여지없이 물기가 어려 있었다. 눈물도 조절할 수 없이 흘렀다. 심장이 빨리 뛰고 그래서 잘 수 없고 끊임없이 몹쓸 망상에 시달리는 것, 한낮에 비교적 괜찮은 컨디션으로 있다가도 갑작스레 목이 조여드는 느낌이 드는 것, 그게 공황장애였다고 병원에 다녀온 주희는 설명했다.

주희는 그런 말을 하면서도 습관처럼 웃었다. 너무 큰일이 아니라고 믿고 싶은 것 같았다. 주희는 스스로 건강하다고 생각했고 그게 자신의 장점이라고 믿었다. 주변 사람들도 자주 그렇게 말했다. 주희가 전해주는 밝은 빛, 끝까지 긍정적인 태도 같은 것을 부러워하고 놀라워했다. 밝은 태도를 지니기까지 주희가 쓰디쓴 마음을 얼마나 곱씹었을지, 오래 씹어 단물이 나올 때까지. 그런 것은 상상하기 힘들었다.

주희의 삶에서 큰 부분을 차지하던 만화 작업에 대해 그런 일을 겪자 그때까지 지켜오던 사랑이, 주희를 지키던 사랑이 힘을 잃었다. 일에서 받은 상처를 다른 쪽에서 회복하는 게 아니라 그 상처가 다른 모든 걸 시들게 하는 느낌이었다. 오직 삶에서, 불행만이 작동할 것 같았다. 관련된 에스엔에스를 모두 닫았지만 어디에서 누군가가 또 자신을 두고 빈정거리고 회생 불가능이라고 판결 내리는 말들을 하고 있을지 모른다는 생각. 이러다가도 시간이 지나면 잊히겠지만, 언젠가 활동을 재개하면 계속 그때의 일들을 들춰내는 사람들이 따라붙을 거라는 생각. 생계로 들어오던 일마저 모조리 끊길 거라는 생각. 그런 쪽으로밖에 생각되지 않았다. 사랑하는 모든 것을 잃을 거라는 생각이 주희를 점령했다.

주희는 자신의 상태를 주위 사람들에게 절대 표현하지 않았다. 언제나처럼 작업을 받았고 쾌활하게 웃고 떠들었다. 그 시기에 주희의 주변에는 작업을 의뢰하거나 주희를 알아보는 사람이 모였고, 모르는 사람이 보면 점점 더 인기를 얻어가는 때, 그러니까 한창이었다. 물이 들어오는 때라고도 했다. 사람들은 주희에게 일도 하고 자기 작업도 하고 어쩜 그렇게 부지런해? 하고 물었다. 주희는 그런 말을 들을 때마다 얼굴이 빨개져 저 엄청 게을러요, 하고 말했다. 손사래를 치며. 주희는 부지런했다. 일러스트 외주를 받고 자기 작업을 그리고 책을 읽고 사람들을 생각했다. 자기 마음도 열심히 생각하는 것 같았지만 주로 좋은 쪽으로만 열심이었다. 피가 나고 지치고 헐떡이는 마음은 외면했다. 그게 건강한 사람이 되고 싶어서였다는 건 알지만, 주희는 마음의 일에 처음으로 실패했다. 주희는 지쳤다. 다만 망가진 자신을 완벽하게 숨겼다.

　나와의 관계에서만 마음껏 엉망이었다. 사람들을 만나러 갔다 돌아오면 희미한 미소만 띤 채 바로 침대로 기어들어갔다. 주희는 우는소리 하는 사람이 되기 싫어 그저 울었다. 자신이 한낮에 했던 모든 말과 행동들을 후회하며 눈물을 흘렸다. 모든 사람이 조금씩은 그런 면을 가지고 있지만 그때 주희의 상태는 좀 심했다. 억눌렸던 것, 축적되었던 것이 둑을 넘어 흐르고 있는 상태라고하면 어울릴지도 몰랐다. 주희가 말을 아끼고 삼킬 때면한없이 답답했다. 차라리 주희가 양심도 없이 왜 설거지안 했어? 왜 이렇게 집이 더러워? 하고 신경질을 부리면마음이 편할 것 같았다.

　주희는 갈수록 거의 외출하지 않았고 아주 조금의 식사를 챙겨 먹은 뒤 티브이를 틀어두곤 보지 않았고 곧 미라처럼 누워 있었다. 그러나 누운 뒤에도 심장이 거세게뛰어서, 나쁜 상상이 꼬리에 꼬리를 물고 계속되어서 잠들지는 못했다. 주희가 자려고 애쓰는 동안 나는 방문을닫고 나와 식탁에 앉았다. 오래전 죽은 작가가 쓴 책을읽었고 그것을 읽는 동안 에어프라이어에 고구마를 구웠다. 백사십 도 이십 분, 백육십 도 이십 분, 이백 도 이

십 분. 그러면 달달한 꿀 같은 군고구마가 된다. 주희는
그 고구마를 좋아했다. 힘이 없는 시기에 주희의 얼굴에
반짝 생기를 돌게 하는 건 그런 것이었다. 달달함을 잔
뜩 머금은 군고구마.

　나약하지. 너무 나약해. 그걸 이겨내야 하는데. 만들
어내는 사람이라는 자부가 있어야 하는데. 그게 없고 그
저……

　내가 책을 읽고 고구마를 굽느라 부엌에 있을 때, 주
희는 어두운 방의 허공에 나약하다는 말을 나약한 목소
리로 중얼거렸다. 나는 주희를 말리거나 부추기거나 둘
중 하나를 하고 싶은데 뭘 해야 할지 몰라 말을 삼켰다.
하고 싶은 말은 이런 거였다. 사람이 아플 수도 있지. 그
러니 아프다고 말하고 조금 시원해지라고 얘기하고 싶
었다. 아픈 게 미련한 건 아니라고. 주희는 자신을 미련
하다고 생각하는 것 같았다. 다른 사람들의 이야기 따
위 얼른 털어버리고 자기중심을 되찾아야 하는데 자기
는 미련하게 아직도 거기에 머물러 있다고. 남들이 모
두 지나간 자리에 자기 혼자. 주희야 그냥 다 얘기하면
안 돼? 너무 오래 붙들려 있는 것 같다고, 후회와 원망과
분노에서 헤어 나오지 못하는 것 같다고 얘기해. 그렇게

말하면 부추기는 건가. 그 말들은 내 속에만 들어차 있는 건 아니고 주희의 속에도 얹혀 있는 것 같았다. 인정하고 싶기도 한데, 인정하면 더 회복 불가능일까봐 무서워. 주희는 그렇게 말했다.

그게 너야 주희야. 크고 작은 상처에서 잘 벗어나지 못하는 사람. 십 년 전의 일을 씹고 또 씹어 완전히 짓이긴 다음 그걸 다시 뭉쳐 만화로 그리는 것처럼. 그런 일을 해야만 하는 사람. 시절 지난 신문지를 물에 불리고 찢고 다시 뭉쳐 종이 그릇을 만드는 것처럼. 그게 너야. 그 종이 그릇을 가장 소중히 품고 사는. 너는 네가 생각하는 것처럼 팔랑팔랑하지 않고 무정하지 않아. 유정하고 유정한데 네가 그런 너 자신을 싫어하지. 자꾸 고개 돌리고 외면하지. 그러지 마. 나는 속에서 굴리고 굴려 거의 구슬처럼 되어버린 말을 가까스로 삼켰다. 목 근처에서.

*

여느 때와 같은 밤이었고 나는 주희를 위해 고구마를 구웠다. 에어프라이어가 다 돌아가 땡 하는 소리가 났고 나는 읽던 책을 엎어둔 채 에어프라이어에서 고구마를 꺼내려고 했다. 그러다가 그만 뜨거운 내부에 손이 데어, 소리를 지르며 에어프라이어 통과 고구마들을 부엌 바닥에 떨어뜨렸다. 소리가 요란했는데 사위는 잠잠했다. 나는 이상하게 불안감에 가슴이 두근거렸다. 몇 초 뒤 주희가 느릿느릿 방문을 열고 나와 나를 쳐다봤다.

실수로 손을 데서, 걱정하지 마 내가 치우고 들어갈게, 그렇게 말했을 때 주희는 나를 한번, 고구마와 에어프라이어 통이 굴러다니는 바닥을 한번 보았다. 끄덕, 알았다는 표시를 하고 다시 돌아가 눕는 주희. 다친 덴 없냐고 묻지도 않고. 놀라지 않았냐고 묻지도 않고. 그때 주희가 지었던 표정은 귀찮음이었다. 그때 나는 참지 못하고, 돌아서는 주희의 등 뒤에서 화를 냈다.

정말 너무하는 거 아니니? 다른 사람은 소중하고 나는 소중하지 않니? 내가 이렇게까지 하잖아. 네가 받은 상처가 얼마나 심한지 알아서 이렇게까지 하는데. 다 참아주는데. 진짜 너무하는 거 아니야? 하고. 나는 주희가 나를 홀대한다고 여겼다. 나만을 홀대한다고. 지원도 솔아도 아닌 나만을.

그러다가 입속에서만 굴렸던 말을 실수로 툭 떨어뜨

리듯 해버렸다.

　모두한테 약한 것 좀 들키면 뭐 큰일나? 그러게 왜 그렇게 각박하게 굴었어. 너에게도 남에게도. 아플 때 맘대로 아픈 티도 못 내게.

　……

　주희는 대답하지 않았다. 나는 더, 더 얘기했다. 이 말 저 말을 다 가져다 붙였지만 요약하면 그러게 왜 그러고 살아, 하는 잔소리였다. 좀처럼 틈을 주지 않는 주희를 이때다 싶어 건드리는 마음에 가까웠다. 원래 하려고 했던 말에서 벗어났지만 훨씬 내 진심에 가까운 말. 그런 게 튀어나갔다.

　그냥 아프다고 하면 덧나니? 혼자 다 품고 아무 말 않고 사람 속 뭉그러지게 할 바엔. 주희야, 너 아직 동생 얘기도 잘 못하잖아. 그게 너야. 센 척 그만하고 제발 말 좀 해.

　어떤 말로 비난해도, 무슨 공격을 해도 무반응인 주희에게 답답한 마음에 그런 말까지 했을 때, 나는 주희가 나를 때릴 줄 알았다. 그러나 주희는 그저 나를 보았다. 머릿속에서 경고음이 들리는 것 같았다. 주희가 비명을 지를지도 모르겠다고, 주저앉거나 손에 든 것을 던지거나 나를 두고 가버릴지도 모르겠다고 생각했다. 그러나 몇 초가 흐르도록 주변은, 주희는 고요했고 마침내 나에게 눈을 한 번 깜빡일 뿐이었다. 그러곤 주희는 말했다.

맞아. 나는 오빠한테 상처를 주지.

주희는 나를 오빠, 하고 불렀다. 주희가 그렇게 부를 때는 정말로 넘어갈 수 없는 선이 생기는 것 같다. 차갑고 무를 수 없는 경고가 담긴 것 같다. 너는 그냥 너야. 너를 좀 알아. 너는 나에게 오빠, 라는 호칭에 잘 어울리는 정도의 사람이야. 그렇게 말하는 것 같다. 정신 차려, 그렇게 말하는 것 같기도 했다.

주희는 사과했다.

미안해.

주희야.

오빠 말이 맞아.

아니야, 나는 그런 얘기가 아니라……

나는 거의 울 것 같았다. 간신히 수평을 맞춰놓으려고 애쓰던 마음속의 시소가 거의 뿌리째 뽑혀 나동그라진 것 같은 느낌, 가슴 한복판이 아수라장이 된 것 같은 기분이었다.

그날 밤 나는 잠든 주희 옆에서 쉽게 잠들 수가 없었

다. 새벽녘에야 잠이 들어 출근 시간에 맞추어 눈을 떴을 때 여전히 옆자리에 주희가 있는 걸 확인하고 나서야 가슴을 쓸어내렸다. 주희와 싸운 이야기를 들려줄 때마다 친구들은 나에게 너는 왜 연하 애인한데 한마디도 못 이기냐고 놀렸지만 그 애들은 모른다. 나는 정말로 주희가 나를 객관적으로 바라볼까봐 무서웠다. 열심히 노력하고 학습하여 이만큼 멀끔해진 내가 아닌, 노력하지 않고 자연스러운 채로 있을 때 불쑥불쑥 보이게 될 진짜 나 같은 것…… 그런 걸 파악당할까봐 무서웠다. 그런 말을 입 밖으로 내고 나니 더욱 그랬다. 그 사람을 위로하고 싶은 마음은 왜 이렇게 그 사람의 약점을 건드리고 싶은 마음 가까이에 있나. 나 자신이 너무 비열해서 허무했다.

나는 주희를 잘 돌보고 싶었다. 그러나 나는 주희를 잘 돌보는 일에 실패했다. 그토록 노력했는데도, 주희가 괜찮아진 것은 나 때문이 아니었다.

*

여름이 짙어지고 있었다. 봄부터 시작되어 주희의 삶

에 지워지지 않는 파동을 일으킨 만화 연재가 끝이 났다. 애초에 완결이 지어진 만화의 수정고를 넘긴 덕에 연재의 시간과 주희의 시간은 무관했다. 주희의 상태와는 상관없이 연재는 이어졌고, 연재 종료 축하를 한껏 받고도 주희의 상태 역시 안 좋은 채로 이어졌다. 이제는 정말로 솔아와 지원에게 도움을 청해볼까, 싶어서 솔 아씨에게 먼저 연락을 했다.

업무 도중 카톡으로 주고받느라 이야기가 끊어졌다가 이어졌다가를 반복했는데 문득 솔아가 신기한 소리를 했다. 내가 변죽을 울리느라 주희 이야기는 꺼내지도 못하고 괜히 그때로 돌아가고 싶다, 그때는 걱정 없었는데, 넷이 있을 때 정말 좋았는데, 하는 말을 보낸 지 삼십육 분 후에 (비로소 한가해졌는지) 혼자서 도도도 보내놓은 카톡이었다.

— 좋기만 한 건 아니었어요.

— 이상한 일도 있었다, 나 그때.

— 타투가 사라졌었어요. 분명히 있었는데 사라졌어.

— 그걸 잊거나 착각할 순 없잖아. 그치?

— 현우씨도 알잖아. 내가 지원씨한테 받았던 타투인 거.

— 이름이 피망이었던 거. 알죠?

알고 있다. 솔아는 언젠가 팔목의 타투를 찍어 인스타그램에 올린 적이 있다. 나도 그걸 봤다. 그런데 그 타투가 흔적도 없이 사라졌다고 했다. 그 일이 언제 일어난 거냐고 물으니 그때라고 했다. 우리가 한창 자주 만날 때. 이렇게 뒤늦게 오는 소식이 있다니 조금 놀랐다. 전혀 몰랐다는 내 반응에 솔아는 머쓱했는지 그때 자기는 지원의 사정을 몰랐다고 덧붙였다. 자기한테 벌어진 일에 몰두하느라 알 수가 없었다고. 우습지만 자기는 타투가 사라져서 지원씨랑 멀어진 줄 알았다고. 그런 줄 알았지만, 그 상황에서 상대방이 말해주지 않고서는 도저히 가늠할 수 없는 지원의 사정이 있었다고 했다. 지원이 우리를 떠난 것은 지원의 친구가 죽어서였다. 솔아는 그때는 지원을 이해할 수 없었지만 지금은 그때의 자신이 훨씬 더 이해가 안 간다고 했다.

— 마음 쓰는 일은 어렵죠. 균형을 두는 일도요.

솔아는 그렇게 말했다. 그리고 덧붙였다.

— 다 지나가요.

주희에게 어떤 일이 일어나고 있다고, 주희의 마음 안에서는 여전히 지나가지 않고 있다고 말하지 못했지만.

166

솔아와 이야기하며 처음으로 주희의 일을 멀리서 보게 된 것 같았다. 솔아의 거리감을 빌려서. 지나간다. 솔아의 타투가 그렇고 지원에게 친구가 그렇고 주희에게 동생이 그랬듯이 이번에도. 그 모든 일들을 우리가 서로 전혀 공유하지 않고 발설하지 않지만, 시간이 흘러 각자의 상처를 자연스럽게 벌려 보이게 될 때가 온다고. 솔아에겐 이런 일이 있었고 지원에겐 그런 일이 있었던 것처럼 주희에게도 어떤 하나의 일이 그저 일어난 것뿐이라고.

*

나는 이제껏 살아오며 기억을 지우고 싶다, 그 일이 있기 전으로, 그런 말을 잘 이해하지 못했다. 딱히 원하는 것이 없던 만큼 지우고 싶을 정도로 끔찍한 일도 없었기 때문이다. 크게 아파보거나 잃어본 적이 없는 것, 바라는 것도 소중한 것도 없는 것, 그것은 나의 운이자 약점이었다. 그러나 주희의 일을 목격하고, 하루하루 마음이 바스라져가는 주희를 볼 때면 그 일을 경험하지 않는 쪽으로 시간을 돌리거나 상처받은 순간의 기억을 지울

수 있는 능력을 원하게 되었다. 어떤 것을 의식하기 이
전으로. 그런 거라곤 모르던 세계로 다시 되돌리고 싶었
다. 주희에게 되돌려주고 싶었다.

그러나 주희는 네 삶에서 뭔가 삭제할 수 있다면 뭘 뺄
래? 하고 물었을 때 한참을 고민하다가 없다고 대답했
다. 동생이 죽기 전으로 돌아가고 싶다거나 인터넷에 만
화를 연재했던 그 일을 지우고 싶지 않고, 그런 만화가
비난과 혹평 속을 지나온 일도 잊거나 삭제하고 싶지 않
다고 했다.

그게 내 거야. 주희는 말했다. 삶을 편집할 순 없어. 묵
묵히 봐야 해. 그것 때문에 나는 지금 아프지만. 한번 아
픈 곳이 계속 아플까 두려운 것은 어쩔 수 없지만. 나는
그냥 그런 사람이 된 거겠지.

아플 때도 주희는 강하기는 했다. 그 사람이 원래 지
니고 있던 태도가 아프다고 해서 다 사라지는 것은 아닌
모양이었다.

*

주희가 강남의 한 서점에서 열린 독립출판 팝업 스토

어에 다녀온 주말 밤이었다. 북 디자인이며 일러스트며 선배들과 동기들이 연결해준 일을 닥치는 대로 해온 덕에 그런 곳에도 자주 불려가곤 했다. 주희는 그곳에서 오전 아홉시부터 오후 아홉시까지 일했다. 책을 팔고 부스를 지키는 일이었다. 집으로 돌아온 주희는 지쳐 있었지만 생기 있어 보였다. 씻고 나와 아주 오랜만에 가뿐해 보이는 맨얼굴을 하고 누운 주희의 머리를 쓰다듬으며, 오늘은 괜찮아 보이네, 하고 건넨 나의 말을 주희는 골똘히 들었다. 나는 그저 하던 대로 머리를 쓰다듬었다. 굳은 목덜미를 주물러주기도 했다. 주희는 나른한 목소리로 말했다.

오늘 좋아 보이는 사람을 봤거든. 초상화 그려주는 이벤트를 연 사람이었는데 그리는 일을 정말 좋아하더라고…… 이혼한 얘기를 그려 인스타그램에 연재했던 적이 있는데 그때 먹을 욕 안 먹을 욕 다 먹었대. 왜 그런 걸로 그렇게 욕들을 하냐, 사람들.

오랜만에 무장 해제된 듯 무구한 주희의 목소리에 나는 불쑥 화가 났다. 마지막 말 한마디에. 왜 그런 걸로 그렇게 욕들을 하냐, 사람들. 주희가 스스로에게 그런 말을 해준 적은 없을 것이다. 니 걱정이나 해 주희야. 남에게는 그렇게 가뿐하게 말해주면서 스스로한테는 그렇게 하지도 못하잖아. 처음으로 주희를 바보 같다고 생각했다. 남은 걱정하면서 자신은 걱정하지 않는 주희를 비난하게 될까봐, 마음으로는 이미 비난했지만 티를 내게 될까봐 조심했다. 주희는 내 마음도 모르고 나른한 목소리로 계속 말했다. 주희가 어딘가에 다녀와서 말이 많은 것도 오랜만이었다.

만화를 그리고 나서 나처럼 상처를 그리는 사람들이 수없이 많다는 걸 알게 됐어. 그런 걸 보면 나도 다시 뭔가 그리고 싶어져. 내 이야기를.

......

좋은 걸 보면 회복된다. 그러니까 좋은 걸 자꾸 보면 되는 거야.

주희가 뭔가를 하고 싶어한다는 사실만으로 좋았지만 내 마음에 도사린 비열한 마음이 날름거리는 것도 느껴졌다. 내 몫을 찾는 마음이었다. 회복되는 주희를 앞에 두고 야 나는? 내가 널 보살핀 건? 하고 생색내는 마음. 결국 주희를 살린 건 낯선 사람. 처음 보는 사람. 주희가 갈망하던 주파수에 들어맞는 듯한 우연히 만난 사람. 나는 주희의 심기를 거스르지 않으려고 애쓰면서도 그 말을 기어이 하고 말았다.

온종일 같이 있는 건 난데 위로는 이상한 데서 받는다.

눈을 멀리 둬야 할 때도 있거든. 그 사람 일하는 데가 남해에 있는 만화 출판사래. 상처랑 멀어지기 위해서는 진짜 멀리 가는 방법도 있겠구나, 그런 생각을 했어.

내가 그렇게 옹졸해질 때면 주희는 또다시 삼백 살 먹은 나무처럼 담담해진다. 몇 달 며칠을 그렇게 아프다가도. 그래서 나는 주희를 종잡을 수 없다. 장악할 수가 없다.

그리고……

그리고?

그리고 네 덕이기도 하거든.

주희도 샐쭉하니 말했다. 내 안에 단단히 똬리를 틀었던 마음이 그 한마디에 스르르 풀어지는 것을 느꼈다. 주희는 나를 장악한다. 너는 나를 잘 알지. 나는 그저 좋았다. 내 덕도 있다고 말해줘서. 주희의 우울이 쌓이고 쌓여서 둑 위로 넘쳤듯, 주희의 회복에도 넘친 우울을 쓸고 닦고 한 칸 한 칸 다시 둑을 쌓아올린 나의 노력이 있다고, 그것이 유효했다고, 말해주는 주희. 나를 달래려고 그렇게 말할 줄 아는 주희는 정말 괜찮은 것 같았다. 나는 그제야 웃으며 주희를 볼 수 있었다.

　다행이다.

　정말로 주희는 그전과 달라 보였다. 미소는 억지스럽
지 않고 말투는 경쾌했다. 주희를 처음 봤던, 몇 년 전의
봄밤 같았다. 주희는 누운 채로 내 손을 만지작거리며
말했다.

　현우야. 나 아직도 뭐가 되고 싶어.

　……

　언니들이 보고 싶어.

　주희가 나를 아는 만큼, 나도 주희를 안다. 주희는 혼
자 있을 때 생생했다. 누군가가 자신을 돌본다는 사실에
어느 정도까지는 고마워하고 고마워하다가, 어느 정도
이상이 되면 그 사실을 내내 미안해하고 불편해하는 사
람. 누군가의 마음이 자신에게 쓰이는 것을 못내 바라면
서도 잘 받지 못하는 사람. 절뚝이면서도 혼자 걷고 싶
어하는 사람이다. 나는 손으로 주희의 머리카락을 천천
히 빗으며 말했다. 주희의 입에서 어떤 말이 나와도 슬
퍼하지 말자고 혼자 다짐하며, 너무 늦게 대답하지 않기
를 애쓰며.

　보러 가면 되지.

나 나중에…… 여기서 계속 이렇게 나쁘면 있잖아. 광주로 갈까봐. 지원 언니 있는 곳으로.

……

나 가면, 너 올래?

주희는 나에게 같이 갈 거지? 하고 묻지 않고 너 올래? 하고 물었다. 나는 혀끝에 준비해둔 구슬 같은 대답을 굴렸다. 도르륵, 내 목소리가 굴러 나왔다.

당연히 가지.

내 말에 주희는 거짓말, 안 올 거지, 하고 웃었는데 실은 어느 쪽이든 상관없다는 웃음이었다. 나는 되고 싶은 게 없다. 주희가 되고 싶은 게 되면 좋겠다. 나는 주희의 구슬이 되고 싶었다. 내가 가든 가지 않든 주희는 나를 잘 담고 갈 것이다.

공룡의 이동 경로

나는 공룡이다. 아마도 이 세상에서 가장 작은 뿔 셋,
가장 작은 몸통 하나, 가장 작은 발 넷과 꼬리 하나를 가
진 트리케라톱스다. 나는 선으로 그려진 동물이다. 까만
먹물과 몇 가지의 색 염료와 타투 기계를 통해 이 세상에
태어났다. 내 몸은 선이고 그림이고 피이자 먹물이다.
살아 있는 사람의 팔에 바느질한 것처럼 박혔으니 살아
있는 것 같기도 하고 아닌 것 같기도 하고, 죽을 때까지
지워지지 않는다고 하니 영원한 것 같지만 작은 타투들
은 종종 지워지기도 한다고 하니 영원하지 않은 것 같기
도 하다.

내가 맨 처음 자리한 곳은 한 사람의 말랑한 팔이었

다. 나를 새기던 타투이스트와 말랑한 팔을 가진 사람
은 친구 사이였다. 내 몸이 태어나는 순간에 둘 사이에
오갔던 목소리와 소음을 기억한다. 내가 들은 최초의 말
들. 확실하지는 않지만. 말수가 적은…… 뭐라고 했다.
고독…… 뭐라고도 했고. 그게 좋은 거라고도 했다. 묵
묵히 걷는…… 그 비슷한 말이 마지막이었다.

　듣자마자 나는 그것이 나의 이름이자 좌우명이라는
걸 알았다. 인디언들처럼 말이다. 말수가 적고 고독하지
만 묵묵히 걷는 공룡. 그게 나다. 흰 팔뚝에 살게 된 공룡
으로서의 삶이 완성되어갈 무렵, 그들의 이름도 들을 수
있었다. 먹물 기계의 주인은 지원. 팔뚝의 주인은 솔아.

　나는 솔아와 함께 살았다. 솔아의 팔이 나의 집이었
다. 팔 한가운데에 짧은 다리로 잘 딛고 서 있기 위해 나
는 최선을 다했다. 이전에 공룡으로 살아본 기억이 없지
만, 이것이 성공한 공룡의 삶이구나 하는 감각이 들었
다. 그곳은 포근하고 아늑했다. 부드러운 요람 같았고
너른 평원 같았다.

　내게는 거울이 없지만 매일매일 모습을 점검했다. 유
독 까만 선이 깔끔해 보이는 날이 있었다. 그러면 마음
이 흐뭇했고. 또 다른 날은 까만 선 안을 채운 파랑, 노랑,

초록의 염료가 쨍하고 생생해 보였다. 그런 날은 두근거렸다. 심장이 있는 것 같고 생기가 도는 것 같고. 늘 좋은 날만 있는 것은 아니라서 어느 날은 유난히 흐릿하고 못나게 일그러져 보이는 것 같기도 했다. 내 작은 뿔, 작은 발과 꼬리가 모두 힘없고 희미하게, 금방이라도 지워질 것처럼. 그런 날 나는 침울했다. 괜히 솔아의 피부를 밀고 때리며 심통을 부렸다. 그러나 너무 오래 미움을 품지 않으려고 노력했다. 먼 곳에서 뛰는 솔아의 심장을 내 심장이나 매한가지라고 생각하며 통통 튀어 올랐다. 나는 생기가 있다! 생기가 있다! 하고 외치며. 피부 밑에서 흐르는 피의 리듬을 받아 나도 둥실둥실 한몸처럼, 하나의 기관처럼 유기적으로 움직여보려고 했다. 그렇게 열심히 솔아의 몸에 녹아들기 위해 애썼다.

*

솔아는 기분이 이상했다. 들이마신 공기에서 가을 냄새가 나는 순간. 계절이 바뀌는 순간에 매번 태어난 지 얼마 되지 않은 동물처럼 낯설어하는 일은 한두 번이 아니었지만 벌써 일 년, 일 년이구나 하는 감각이 강렬했기 때문이다. 새로운 가을이 아니라 지난가을이 다시 돌아온 듯한 느낌이었다. 모든 게 지진으로 흔들리는 것 같던 날들. 멀게만 느껴졌던 기억이 계절과 함께 돌아왔다. 밀려갔다가 되돌아온 파도처럼. 시간이 긴 필름이라면 중간을 싹둑 잘라내고 지난가을과 올해 가을을 감쪽같이 붙여둔 것 같았다.

지난가을은 솔아에게 텅 빈 계절이었다. 피망이가 사라지고 지원이 떠난 계절. 어떤 이들이 자신을 떠났다는 사실을 납득하기 위해 애쓰던 겨울과 떠난 이들을 되찾지 않으려고 애쓰던 봄이 지나자 한여름의 두어 달 정도, 솔아는 정말로 그들을 산뜻하고 깨끗하게 잊고 지냈다. 복잡한 생각 때문에 끝까지 보지 못했던 영화와 책들을 마저 다 보았고 더이상 새로운 사람을 만나지 않았다.

그러다가 어제 아침 열린 창으로 쌀쌀한 가을바람이 들어와서, 차가운 공기에 닭살이 돋은 흰 팔을 문지르며 솔아는 잊었던 것들을 새삼 생각한 것이다. 자신의 팔에 거주하던 공룡을. 그리고 지원을. 솔아는 공룡 타투에 피망이라는 이름도 붙여주었었다. 피망이는 지원이 나에게 그려주고 새겨준 처음이자 마지막 타투. 나의 공룡. 그런데 과연 내가 주인이 맞았을까. 지원이 아니었을까. 그래서 자신의 타투를 데리고 나를 훌쩍 떠난 것이 아닐까. 아침에 팔뚝을 문지른 이후 솔아는 그날 저녁 일기장에 그런 것을 썼다.

2021/09/13

피망아 나는 아무리 생각해도 지원과 네가 비슷한 시기에 나를 떠난 것이 분하고 약오르고 미웠다. 날 골탕먹이고 아프게 할 작정이 아니면 어떻게 그럴 수가 있냐고 생각했어. 겨울에는 돌아오겠지, 돌아올 거야 하는 미련으로 혼자 모닥불을 계속 때듯이 마음을 살리고 있었는데 날이 따뜻해지기 시작할 무렵 내 마음은 꺼지고 차가워졌어. 마음을 꺼뜨리는 데 그 정도 시간은 걸리는 모양이야. 그때부터 화가 났어. 차가운 화가. 내 마음은 차가웠는데 나는 그때 문득문득 멍해지고 부주의해서 자주 뜨거운 것들에 데었어. 뜨거운 바람이 나오던 헤어드라이기나 달궈진 고데기, 냉동음식을 데우다 팬에서 튄 기름과 물방울에. 빨갛게 부어오른 손가락을 붙잡고 어쩜 이렇게 아픈가 생각했어. 이 작은 게. 새끼손톱보다 작은 면적을 덴 것뿐인데. 봄과 여름을 그렇게 보냈어.

지원의 이야기를 어디 가서는 하고 어디 가서는 하지 않았지. 네 이야기는 어디서도 하지 않았어. 나는 사람들의 놀란 눈이 싫었어. 나를 별난 경험을 한 사람으로 만드는 동그래진 눈이.

*

솔아의 팔은 너그러웠고 그곳에서 고독하고 묵묵하게 살 수 있었으나, 결론적으로 나는 그곳을 떠나왔다. 그건 아주 힘들었지만. 나는 괜한 것이 궁금했고 그걸 참지 못했고 결국 솔아의 눈꺼풀 뒤로 올라가기로 마음을 먹었다.

나는 솔아의 시선이 궁금했다. 나는 너무 작았고 작은 채로 솔아의 팔목 안쪽에 새겨져 있었기 때문에, 주로 목소리들을 들었다. 솔아를 둘러싼 목소리들. 솔아는 가끔 어떤 목소리나 어떤 순간을 마주하면 슬퍼지는 것 같았다. 솔아와 나는 한몸이니까 알 수 있었다. 사람들 사이에서 슬퍼지면 솔아는 조용해졌다. 솔아가 침묵하는 순간은 대체로 누군가에게 자신을 설명해야 하는 순간. 자신의 설명에 대한 다른 사람들의 반응을 기다리는 순간이었다. 그때 솔아는 어떤 표정들과 마주했을까? 나는 솔아가 무엇을 목격한 채로 슬퍼지는지 알고 싶었다.

솔아와 함께 사는 일은 조용하고 시끄러웠다. 솔아는 조용했고, 동네는 시끄러웠다. 골목의 어딘지 모를 건물이 매일 공사중이었고, 기계의 소음과 공사장을 둘러싼 주차 문제로 언성을 높이는 사람들이 있었다. 그 동네에 사는 소리들이 열린 창을 통해 노골적으로, 적나라하게 들어왔다. 솔아는 소리들을 가만히 들었다. 꼼짝없이, 부끄러움을 참고 듣는 것 같았다. 아니 왜 십만원을 입금을 안 해서 사람을 치사하고 쌍스럽게 만드느냐 이거야! 하고 필요 이상으로 꽥꽥거리는 중년 남자의 목소리와 아저씨 이 차 언제 빠져요? 아니 이래 놓으면 어떻게 돌아가요? 나 집 바로 코앞인데! 하고 볼멘소리를 하는 아주머니의 목소리를. 씨발 또라이 아니야 저거? 하고 쉴 새 없이 킬킬거리다가 느닷없이 남자를 몰라 하고 열창하는 자정의 젊은이들 목소리를 들었다.

그 소리를 지우기 위해 음악이라도 틀어둘 수 있었을 텐데 솔아는 집에서 음악도 잘 듣지 않았다. 간혹 티브이를 켜두고 사람들이 먹고 자고 청소하는 모습을 찍은 관찰 예능 프로를 봤다. 그건 언제나 지나간 방송이었다. 모르는 연예인의 집과 방과 끼니와 하루를 반복해서 보았다. 티브이 앞에 제대로 자리를 잡고 보는 경우는 거의 없었다. 책을 읽으면서, 침대에 누워 휴대폰으로 메시지를 주고받으면서, 심지어 유튜브를 보면서 티브이를 틀어놓을 때도 있었다. 그냥, 도란도란 말소리 들리는 게 좋고 그래서. 함께 있던 서너 명의 친구들에게 솔아가 그렇게 말했을 때 누군가가 할머니! 하고 놀렸다. 양 갈래머리를 한 귀여운 사람이었다. 그 말에 솔아는 부정도 긍정도 하지 않고 배시시 웃었다. 그런 말소리 외에 솔아의 집에 소리는 거의 없었다. 특히 음악이 없었다.

그것에 대해 지원과 솔아가 맥주를 마시며 나눴던 이야기를 나는 기억하고 있다. 나는 솔아의 친구 중 지원이 유난히 반가웠다. 나를 태어나게 한 사람이라 그렇겠지.

그곳은 지원의 집이었다. 그때 내가 있는 곳은 낮아서, 지원의 어떤 모습들만 슬쩍슬쩍 볼 수 있었다. 손에 쥔 담배, 허벅지가 찢어진 청바지, 두 손으로 테이블을 톡톡 치며 리듬을 타는 것. 지원이 허리를 숙이고 레코드판을 고를 때에야 전체적인 모습이 보였다. 그래도 볼 수 없는 것들이 있었다. 얼굴이나 표정 같은 것. 지원의 집에는 항상 음악이 흘렀다. 블루투스 스피커, 오디오, 엘피 플레이어까지 있었다. 휴대폰으로 음악을 켜고 엘피를 올려두는 게 지원에게는 자연스러웠다. 마침내 고른 레코드판을 꺼내며 지원이 물었다.

솔아씨는 어떤 음악 좋아해?

음악 안 좋아해.

음악 안 좋아해?

지원이 신기한 농담을 듣는다는 듯 되물었다.

솔아씨는 참 신기해.

그 말에 솔아는 내가 뭘? 하고 대수롭지 않은 듯 하하 웃었지만 몸의 어딘가가 작게 떨리고 경직되었다. 그걸 들키지 않기 위해 더 부산스럽게 말했고 맥주를 마셨다. 솔아는 자주 움츠러들었다. 움츠러드는 티가 다른 사람에게는 나지 않더라도 나는 알 수 있었다. 나는 솔아의 피부에 사니까. 피부가 아주 미세하게 움츠러드니까.

……편안하게 깔릴 음악을 잘 고를 자신이 없어. 애매하게 시끄럽고 좋지 않은 음악이면 불안하잖아.

뭐가 불안해?

놓칠까봐.

뭘 놓치는데?

누군가가 말하고 있는 것. 그걸 전부 못 들을 수도 있잖아.

솔아에게 음악 소리보다 중요한 것은 말소리. 나는 그런 솔아가 좋았다. 솔아의 대답 뒤엔 침묵이, 그러니까 오로지 음악만이 깔렸고, 다 태운 담배를 재떨이에 눌러 끄며 지원이 무심한 말투로 말했다.

그런 생각은 안 해봤네.

그 순간 어쩐지 내가 있는 곳, 솔아의 팔 아래, 핏줄을 타고 흐르는 피가 한결 천천히 지나가는 것 같았다. 솔아는 테이블 밑으로 두 손을 꼭 쥐었고 손가락과 손목을 주무르다가 내가 있는 팔목도 주물렀다. 솔아의 찬 손. 떠날 결심을 하기에 충분했다.

첫번째 이동이었다. 팔에서 눈꺼풀로. 일단 박음질된 몸을 떼어내야 했다. 내 몸의 테두리는 까만 선으로, 테두리 안쪽은 노랑과 파랑과 초록 염료로 채워져 있었다. 몸을 채운 색깔들은 조금만 안간힘을 쓰고 살살 떼어내면 잘 떨어졌는데, 문제는 까만 테두리였다. 그건 정말 힘껏 새겨졌는지 아무리 애를 써도 떨어지지 않았다. 며칠 낮밤을 자지도 않고 놀지도 않고 까만 테두리를 긁어보고 당겨보고 부풀려보고 오그려보았다. 들썩대긴 했지만 떨어져 나오지는 않았다. 포기할까, 한번 새긴 타투는 영원한 거라던데, 괜한 짓인 거 같은데, 그런 생각이 들 때마다 내가 왜 이러고 있는지를 생각했다. 이 부드럽고 포근한 곳을 왜 떠나려고 하는지.

*

솔아의 팔에 피망이가, 솔아의 곁에 지원이 있던 시절 퇴근하고 나면 솔아는 주로 집에서 만화책을 봤다. 동물들이 나오는 만화. 귀신이 나오는 만화. 전쟁을 하는 만화. 이차세계대전, 체르노빌, 원폭 투하 이후 히로시마와 나가사키를 배경으로 한 만화들을 봤다. 그런 만화들에 자주 등장하는 화상 흉터 묘사를 좋아했다. 일그러진 피부를 표현하려고 얼굴과 목, 팔과 다리에 펜 선이 여러 개 그어져 있는. 그 장면만 내내, 물끄러미, 몇 페이지를 넘겼다가도 다시 돌아가서 보곤 했다.

그런 걸 보는 날이면 항상 피망이 생각을 하게 되었다. 스산한 밤이 더 스산하게 느껴졌다. 책을 덮고 팔을 내려다보면 작은 공룡이 두려움에 네 다리를 말고 웅크리고 있는 것처럼 느껴지기도 했다. 내가 화상을 입으면 피망이는 사라지게 되겠지? 피망이의 목소리를 상상해서 질문을 자신에게 돌려보았다. 솔아가 화상을 입으면 나는 사라지게 되겠지? 그러고는 혼자서 피망이를 달랬다. 아니야. 너는 사라지지 않아. 내가 조심할게. 지켜줄게. 그러나 그 말이 얼마나 오만한 자기 확신의 말이었는지. 이를테면 상처주지 않겠다는 말처럼. 절대 너에게 상처주지 않을게, 라는 말은 얼마나 순백색의 멍청함인가.

다음날도 일기장을 펴놓고 피망이에게 애먼 편지 같은 걸 쓰기 전에, 솔아는 그 밤들을 떠올렸다.

2021/09/14

올해 봄여름에는 겨울에 시작된 전염병이 끝나지 않고 들쑥날쑥 날뛰어서 회사도 한두 달가량 재택근무를 결정했어. 그게 유일하게 좋은 일이었어. 나는 내 집에서 조용히 일을 하고 그 일을 생각했어. 그렇게 양분하니 내 인생에 중요한 것이 돈과 마음밖에 없는 것 같아서 분명하고 가볍게 느껴지기도 했어. 그래도. 그래도, 라고 생각했지. 차가워진 마음을 되살릴 순 없다고. 나를 그렇게 대한 사람에게 두 번은 내가 먼저 다가가거나 마음을 열

순 없다고. 이 표현을 내가 쓰고 있자니 조금 웃기는데. 나는 마음에 관한 숙어는 다 별로라고 생각했어. 그중 '마음을 연다'는 말을 가장 싫어했지. 그 말이 가장 오만하다고 생각했어. 왜 대부분 이렇게 쓰이잖아. "사람에게 마음을 열기가 힘들었는데……" "마음을 여는 데 좀 오래 걸리는 편이거든요" 별별 이유가 있겠지만 다 알겠고 마음이 그렇게 열리고 닫히는 거라면 그 문고리를 자기가 쥐고 있다고 생각하는 게 싫었어. 얄밉고 억울했어. 야 나는 뭐 좋아서 니 마음에 대고 매번 노크하고 그 마음 앞에 찾아가고 기웃거리는 줄 아니. 나도 열 줄 알아. 나도 마음 뒤에서 문고리 잡고 열까 말까 고민할 줄 안다고. 그렇게 쏘아붙이고 싶었어. 공격할 대상이 아무도 없는데 분노는 퍽 선명했어. 사는 동안 내내. 지원은 그렇게 말하진 않았지만 그렇게 생각하는 것처럼 보이는 사람이었지. 내주지 않는 표정. 그런 게 있었어. 나는 지원을 좋아하면서도 그 표정을 두려워했어. 그런 사람들은 사소한 일로 다투고도 절대 먼저 사과하거나 다가오지 않는다는, 인생에서의 숱한 경험이 있었거든.

*

질긴 검은 테두리를 떼어내기 위해 온갖 고민을 하던 중, 잠결에 솔아 팔의 솜털과 주름들이 나를 두고 그렇게 말하는 것을 들었다.

쟤 힘을 빼면 되는데.

그렇게 말하는 것을. 놓칠 것 같아 웅얼웅얼 겨우 물었다.

힘을 빼라고요?

그래. 꾹꾹 눌러 담은 것. 네가 거기 있어야 한다는 마음. 그걸 빼면 돼. 여기가 아니어도 된다는 마음으로. 간장 든 장독 깨는 거랑 똑같은 거야.

그거랑 그거랑 같나요? 되묻고 싶었지만 솔아의 몸이 알려주는 것은 전부 진실일 것이고 나는 그것을 믿었다. 다시 잠에 빠져들며 나는 힘을 뺐다. 나는 여기가 아니어도 돼. 이 모습의 내가 아니어도 돼. 괜찮아. 구멍에서 뭔가가 빠져나가는 느낌이 들었다. 다음날 나는 내 모습이던 검은 테두리가 사라진 걸 발견했다.

나는 그저 파랑 초록 노랑의 색 덩어리였다.

내가 아니게 되었네. 기분이 이상했지만 움직이는 데에는 그쪽이 더 수월했다. 테두리가 없었으므로 눈꺼

190

풀에 도착할 때까지 여기저기 아무렇게나 옮겨붙어 다녔다.

눈꺼풀에 살면서는 다양한 표정들을 보았다. 솔아는 못 보는 표정들도 나는 볼 수 있었을 것이다. 이를테면 솔아가 격주로 참석하는 모임에서 매일 놀림을 받는 한 남자는 매번 고집스러운 말투로 얘기를 했는데 신기하게도 표정은 매우 부드럽다는 것. 지원이나 솔아의 놀림을 받을 때마다 울상이 되는데 그 와중에도 입매는 웃는 모양이라는 것. 모임을 함께하는 친구 중 목소리가 톡톡 튀는 여자는(이름은 주희라고 했다) 생긴 것도 목소리만큼이나 귀엽고 따뜻하다는 것. 지원이 평소보다 침묵을 길게 끌고 그걸 바라보는 솔아가 초조해하는 기색이 느껴질라치면, 가방에서 젤리를 꺼내 쥐여주거나 휴대폰을 꺼내 자기가 인스타그램에 올렸던 귀여운 동물 사진을 들이미는 것도 주희였다. 그런 주희에게도 종종 입을 꾹 다무는 순간이 있는데, 그때에도 눈은 웃고 있어서 놀림받는 남자와 아주 상극으로 보이기도 했고 잘 맞는 짝처럼 보이기도 했다.

그리고 지원은 소리 없이 자주 웃었다. 자주 솔아를 신경 썼고 물끄러미 보았다. 고개를 돌리고 웃는 습관이 있었기 때문에 솔아가 보지 못하는 웃음도 있었다.

내가 눈꺼풀로 옮겨갔을 무렵엔 솔아와 지원이 만나는 빈도와 시간이 그전보다 현저히 줄어든 상태였는데, 오랜만에 두 사람 다 마음이 너그러웠는지 모임이 끝난 뒤 밤의 한강을 걷기로 한 날이 있었다. 밤의 강바람이 거셌다. 흩날리는 머리칼을 정리하며 솔아가 말했다.

나는 사실 산책을 잘 못해.

그걸 들은 지원은 놀랍다는 듯 웃었다. 솔아가 그 말을 꺼내기 전까지 지원은 바람이 시원스레 불어오는 게 좋았는지 답답한 일이 있었는지, 숨을 깊게 들이마시고 내쉬길 반복하는 중이었다.

그렇게 말하는 사람은 처음 본다. 산책을 잘 못한다고 말하는 사람은. 산책은 그냥 하는 거지.

그리고 다시 한번 숨을 길게 내쉬었다. 솔아가 힐끗 지원의 옆모습을 한번 보고 다시 앞을 봤다. 아파트만한 나무가 줄지어 서 있는 밤의 산책로를. 솔아는 산책을 유난히 잘하는 사람들이 있는 것 같다고 했다. 그 사람들은 시간의 흐름을, 정처 없음을 즐기고 텅 비는 일을 잘 견딘다고, 그리고 자신이 그걸 좋아한다는 사실을 알고 있다고 했다.

그럼 솔아씨는 뭐야? 지금 우리가 하는 건?

솔아는 고개를 숙여 시선을 내렸다. 솔아의 운동화가 보였다. 솔아가 걷는 만큼 뒤로 뒤로 지나가버리는 땅이 보였다. 그리고 솔아가 고개를 들어 다시 앞을 보았다.

나는 잘 비워지지가 않아. 목적이 없는 건 잘 견디지 못하고. 목적지가 있으면 좋고. 목적지까지는 아무리 오래 걸어도 걸을 수 있고. 그래서 못 보는 게 많지. 옆에 크레인이 세워져 있는지 철교가 지어지고 있는지 보지도 못하고 풍경도 다 놓치고 발끝만 보고 걸을 때가 많고. 천천히 생각 없이 주변을 감상하고 싶다가도 길을 잃어버릴까 초조해서 즐기지 못하고.

지원은 고개를 끄덕이며 듣다가 졌다는 듯 두 손을 들어올리고 솔아를 바라보며 웃었다.

솔아씨 증말 생각이 많구나.

그러다가 팔꿈치로 솔아를 쿡 찌르며 나한테는 산책 좋아한다고 했잖아? 하고 덧붙였다. 솔아는 지원의 얼굴을 바로 보지 못하고, 그러니까 지원이 입은 셔츠의 어깨 봉제선이나 깃 같은 것을 보며 말했다.

지원씨가 좋아한다고 해서.

나는 눈꺼풀에 사는 동안, 솔아가 일하고 친구들을 만나며 보는 모든 것을 함께 봤다. 그런 구경은 신기했다. 비로소 솔아를 조금 더 알게 된 느낌이었다. 솔아는 이런 살아 있는 그물 같은 관계 안에서 사는구나. 그리고 솔아가 집으로 돌아와 잠에 드는 밤에, 눈꺼풀 속에 누워 그들의 표정을 복기했다.

내가 잠을 자지 않고 움직였기 때문에 솔아는 가끔 밤에 잠을 자려고 누워서도, 눈을 감고서도 어쩐지 눈을 뜬 것 같거나 눈 안에 색이 선명히 보였다가 번지는 것을 느꼈다. 왜 이러지, 하고 눈을 비비는 솔아. 그 밤엔 유독 강을 걷던 솔아의 목소리가 맴돌았다. 지원씨가 좋아한다고 해서. 그래서 그랬지. 그리고 생각했다. 그때 솔아는 어떤 표정이었을까.

*

일기를 두 장째 채워가던 어느 날 솔아는 그만 괜찮아졌다. 문득 그것을 깨달았다. 지난 가을과 겨울에 대해 생각하기 시작하면 그런 그림이 그려졌다. 머릿속에 설치된 생각기계 같은 것에, 한 명의 작은 생각인간이. 지난 가을과 겨울을 집어넣으면 건성인 듯 착실한 듯 리드 미컬하게 착착 돌아가는 생각기계와 그런 기계를 지켜보며 괜찮네…… 하고 중얼거리는 작은 생각인간. 그것이 솔아 자신이었다. 절절 끓던 마음을 맨손으로 잡은 것처럼 제대로 쥐지도 놓지도 못하고 발만 동동 구르던 게 불과 일 년 전인데. 한 것이라고는 아무것도 없고 그저 시간이 흐른 것밖에는 없는 것 같은데. 헛웃음이 났다. 별거 아닌 이유로 친구와 멀어졌을 때, 그 거리를 메울 생각을 하지 않고 나는 저 친구가 왜 이렇게 나를 곤란하게 하지, 라고 생각했지. 내가 지키고 싶던 건 도대체 뭘까. 왜 그렇게 화가 났었지? 지원에게? 그런 기억상실 같은 물음 현상을 경험하기도 했다. 따지려고 일기장을 펼쳤다가 어느새 고개를 끄덕이며 적고 있는 자신을 발견했다. 펜이 꾹꾹 글씨를 써 내려가는 리듬에 맞춰 가만가만 고개를 흔들고 있는 자신을.

2021/09/18

나는 요즘 성장인지 노화인지 모를 날들을 보내고 있어. 어떤 마음가짐들, 편안하고 가능하게 된 것들에 대해서는 성장이 아닐까…… 생각하는데 몸가짐들은 노화인 것 같아. 이를테면 소화가 잘되지 않는 것. 이십대 초반에, 주식이 삼각김밥이고 컵라면이어서 항상 위장병이 오던 것과는 다르게 지금은 순하고 좋은 걸 든든하게 먹어도 소화가 잘 안 돼. 오늘 아침 출근길에는 편의점에 들러 활명수를 샀어. 어제저녁에 먹은 식사가 아직 위장에 남아 있는 것 같아서. 마시다가 반쯤 남은 활명수 병을 쳐서 넘어뜨리는 바람에 책상 위에 두고 쓰던 메모지를 적시고 말았다. 그런데 그게 재밌었어. 메모지를 팔랑팔랑 넘기며 말리는데 계속 화하고 달큰한, 오래 끓인 것 같은 한약 냄새가 나는 것이. 노화니 성장이니 하는 얘기를 하다가 활명수를 쏟은 것에 은근 신나하는 게 다시 어린이집 다니는 다섯 살배기 같고 그렇지. 애들은 물 쏟으면 그 물 위에 주저앉고 박수 치며 놀잖아. 나는 성장과 노화 사이에서 아직도 어리둥절 낯설어하고 있나봐. 그런 게 그저 삶이겠지. 계속 이쪽저쪽을 기웃거리는 게. 눈치를 보다가도 그저 쏟아진 것을 쏟아졌구나 하고 가만히 납득하게 되는 게.

　이건 정말 웃기는 얘기인데 날이 다시 차가워지기 시작하자 난데없이 지원이 이해가 되었어. 백 프로 이해가 된다는 건 아니지만 그래 그런 방식을 택할 수도 있겠다고. 배신당한 것처럼 아팠던 게 감쪽같이 괜찮아졌어. 새 살이 돋은 건가? 일 년이면 그럴 만도 하지. 살도 새살이 돋는데 마음이라고 새 마음이 없을 리가 있겠니.

우리가 싸움이란 걸 했다고 할 수 있을까? 싸움의 정의를 그렇게도 이해할 수 있다면. 우리의 싸움은 고요하게 잡음 하나 없었지만 그게 우리의 방식이었겠지. 외면의 싸움. 침묵의 싸움. 안 보이는 곳을 할퀴는 다툼. 그렇다면 화해의 방식도 좀 다를 수 있지 않을까? 감쪽같이 싸웠다면 감쪽같이 이어지기도 하지 않을까? 너무 해맑은 추측일까? 그냥 내 마음이 덤덤해진 것 가지고 별걸 다 연결해보는…… 처음과 끝이 똑같은 자기중심성……

여전히 마음이 열리고 닫히는 그런 거라서 누가 영영 닫아걸어 잠그면 불가능하겠지만 말이야. 그 말도 결국 사람의 머릿속에서 나온 말 아니겠니. 네가 지원의 손끝에서 나온 것처럼. 지울 수 없을 것 같던 네가 훌쩍 떠나갔다면 이을 수 없던 것도 슬쩍 이어지기도 하겠지. 지금 나에겐 그런 믿음이 있다.

그렇게 적고 났을 때 솟아는 자신의 깨달음이 지원의 것보다 조금 늦은 것일 수도 있겠다 싶었다. 올여름 지원이 보내온 것, 지원으로부터 받았으나 아직 마음이 차게 식어 있어 답장도 뭣도 하지 않고 사무실 서랍 맨 마지막 칸에 처박아두었던 것이 떠올랐기 때문이다. 광주에서 온 소포였다. 보낸 이는 이지원.

광주라서 놀랐는지 지원이어서 놀랐는지 가늠하기 어려웠다. 이대로 뜯지도 않고 구석으로 던져두고 싶었다. 복수다, 하는 마음으로. 그러나 결과적으로는 복수의 의미가 없었다. 그렇게 처박아두려면 관심도 흥미도 없어야 했다. 무시할 수 있어야 했다. 솔아는 그러지 못했다. 소포를 손에 들고 울 것 같은 표정으로 열까 말까 했다. 결국 열어만 보자 하고 소포를 열었다. 우정도 사랑도 아닌 호기심으로 여는 거다, 열자, 하고 마음먹었을 때 가장 먼저 확인한 것은 엽서가 있는지 여부였다. 엽서 없이 어떤 물건만 왔다면 정말로 상처받을 것 같다고 생각했다. 다행히 엽서가 있었다. 뒷면에 귀여운 브라키오사우루스가 그려진 엽서였다.

지원은 트리케라톱스를 못 찾아서, 라고 시작하고 있었다. 지난 가을과 겨울 이야기를 하고 있었다. 지원은 솔아가 근 몇 년간 가장 좋아한 여자 친구였다. 지원에게도 자신이 그런 사람이었으면 좋겠다고 늘 생각했다.

그런데 지난가을 지원은 갑자기 솔아를 데면데면하게 대했고 그해 겨울 서울을 떠났다. 솔아는 이유도 묻지 못하고 두 계절 내내 마음을 졸였다. 수개월이 지났을 때 주희가 넌지시 말해주었다.

지원 언니 그때 친구가 죽었대요. 오랜 친구가. 자살인지 사고인지 알 수 없대요.

그 문장은 충격적이었으나 솔아가 지원에게 품었던 원망을 모두 상쇄하고 솔아를 위로해주지는 못했다. 가을과 겨울 동안 솔아가 나를 좋아해줘 하는 간절함으로 슬퍼하고 체념했다면 봄 동안에는 네가 먼저 말해줘 하는 말을 참느라, 자존심을 부리느라 힘겨웠다. 그 짧은 말을 긴긴 말로 합리화하며 지쳐갔다. 너 힘든 거 알겠어. 그런데 나한테 그래도 돼? 그렇게 말할 수가 없어서. 말하자면 죽은 지원의 친구와 지원의 우정을 나눠 가지려고 겨뤘던 건데 그 사실을 도저히 인정할 수가 없었다. 자신이 그런 사람이라는 사실을, 그렇게 생각하면 내가 아주 추해지니까.

그래서 그걸 고운 말들로 바꾸면서 시간을 보냈다. 아주 오랜만에 좋아하게 된 친구가 왜 또 자신에 대한 애정을 잃어버리게 되었는지. 왜 나와 즐겁게 하던 대화를 멈추고 나누던 비밀을 모른 척하고 먼 곳으로 떠나갔는지. 내가 부족했어? 그런 중요한 일들을 털어놓기에는 내가 못 미더웠어? 내가 우스웠어? 네가 정성 들여 새겨준 타투도 잃어버리는 사람이라 우스웠던 거야? 그렇게 과하게 처연하고 슬픈 기운에 푹 젖은 말들에 실은 솔아 자신도 지치고 있었다. 이게 다 뭐야. 그런 생각이 들 수밖에 없었다. 계속해서 불행의 책임을 저쪽으로 밀어둔다고 사라진 친구가 나타나지는 않았다.

*

솔아의 집은 나의 집. 나는 그 집을 떠난 적이 없다. 나를 잃어버린 솔아는 당황하며 이 동네 저 동네 돌아다녔지만. 내가 두번째로 옮겨간 곳은 솔아의 방, 귀퉁이에 가장 높게 달린 선캐처였다.

눈꺼풀 속에서 나는 솔아의 얼굴이, 솔아의 표정이 궁금했다. 솔아의 시선과 가장 가까운 곳에서는 솔아의 얼굴을 볼 수 없었다. 당연한 얘기지만. 너무 가깝기 때문에 볼 수 없는 것들이 있다. 그건 내가 솔아의 팔에 있을 때도 마찬가지였다. 솔아의 얼굴을 마주할 기회는 너무 적었다. 사람은 너무 크고, 나는 너무 작았다. 심지어 늘 바닥을 향해 있었다. 내가 있는 왼팔을 들어 턱을 괴거나 머리를 쓸어 넘길 때 잠깐 솔아의 목덜미를, 귀를, 옆얼굴과 정수리를 볼 수 있었다. 그러나 얼굴만은 볼 수가 없다. 공룡은 작고 사람은 커서, 나는 언제나 솔아의 어느 부분만을 봤다. 커다란 뺨. 커다란 귀. 커다란 안경. 커다란 코.

간혹 팔에서 솔아의 얼굴을 봤던 순간을 기억한다. 솔아는 대부분의 시간 나에게 무심했지만 종종 팔을 돌려 나를 지그시 바라봐주었다. 그럴 때마다 솔아의 표정이 어땠는지. 슬프고 다정했던 것 같다. 아닐지도 모르지만. 그저 멍한 얼굴이었을지도 모르지만. 언젠가 솔아가 또 그렇게 팔을 뒤집어 나를 멍하니 바라보려고 했을 때, 나는 거기 없었다. 솔아가 나를 바라보는 그 눈빛을 보지 못하는 것은 꽤 슬픈 일이다. 솔아는 나를 잃어버렸을 것이다. 하지만 잃어버리지 않았는데. 나는 여전히 솔아와 함께 있는데 그걸 솔아만 모른다. 미안해. 그 생각을 하면 눈물이 난다. 파랗고 노란 염료가 뚝뚝 떨어지는 것만 같다.

선캐처가 달린 곳은 창문 바로 옆이었고 바람이 들어

선캐처가 흔들리면 온 방 벽에 빛무리가 흩어졌다. 솔아는 그걸 보고 즐거워했다. 동영상을 찍거나 사진을 찍기도 했다. 솔아가 빛을 바라보는 순간 나도 그걸 바라보았다. 그리고 기억해두었던 것이다. 선캐처는 온 방안을 볼 수 있었다. 솔아의 모든 모습도.

그래서 나는 선캐처에 달라붙기로 했다. 내 절취선 같은 까만 선들은 이미 첫 이동 때 사라졌으니 파랑 초록 노랑의 빛으로만 달라붙으면 되었다. 나는 솔아가 듣는 소리와 솔아가 받는 빛, 그것들이 넘어 드는 창가, 그곳에서 빛을 색으로 굴절하고 변형시키는 유리 조각의 일부가 되었다. 유리 속은 단단하고 따뜻했다. 나는 일정한 거리에서 솔아의 모습을 지켜볼 수 있었다. 솔아의 얼굴, 앉은 자세, 걸음걸이까지. 내가 여기에 없다고, 사라져버렸다고 솔아가 믿는 동안에도 나는 솔아와 함께 있었다. 솔아가 나를 생각하지 않을 때에도 솔아를 생각했다. 우리가 서로를 생각하는 마음과 그 마음에 가장 열렬한 시기에도 시차가 있다. 늘 같지가 않다. 그래서 우리는 자주 혼자인 것 같고 외로워지고.

그러나 혼자가 아닌데. 솔아가 방안에서 빵을 먹는 모습을, 책을 읽는 자세를, 그러다가 한참을 멍하니 생각하는 표정을 본다. 이제 나는 솔아가 무슨 표정일지 궁금해하지 않는다. 바람이 선캐처를 밀 때 솔아의 표정이 보이는 방향으로 빛이 되어 머물면 된다. 그러나 요즈음 방안에서 솔아의 표정은 언제나 비슷하다. 미간을 살짝 찡그린 고민하는 얼굴. 나는 언제나 솔아가 보고 싶어서 솔아를 떠났다.

*

세번째 일기를 쓴 날로부터 며칠 뒤, 솔아는 퇴근하면서 닫아두었던 서랍을 열어 그 소포를 들고 집으로 돌아왔다. 책상에 앉아 엽서를 일기 사이에 끼웠다. 지원의 문장으로 정리된 그날은 생경했다. 오랜 시간이 지나 해명하고 싶어하는 '그때'가 서로 다른 것이 새삼 놀라웠다. 그러나 모든 일이 어제 일처럼 생생했다. 가로로 쓴 엽서에서 지원은 딱 한 줄 만에 미안하다고 했다.

솔아씨 안녕. 피망이는 돌아왔나요? 트리케라톱스를 못 찾아서 다른 공룡 엽서를 보내요. 미안하다는 말을 하고 싶어서. 전화를 하거나 만나서 했으면 좋았겠는데 그게 너무 어려웠어요. 주희에게 듣게 해서 미안해요. 솔아씨한테 도움을 청하지 못한 것도. 입을 꾹 닫아버려서. 충동적으로 떠나와서 제일 많이 노력한 것은 말을 하는 일이에요. 쓸데없는 것도 말하는 일. (내가 살고 있는 곳은 광주예요.) 솔아씨, 제가 예전에 솔아씨한테 했던 말 중에 정정해야 하는 말이 있어서 그것만 꼭 얘기하고 싶어요. 너무 외롭지 말라는 말. 내가 그때…… 솔아씨한테 화풀이했어요. 외로워서 죽겠다고 하는 친구가 있었어요. 그 애가 너무 미워서 괜히 솔아씨한테 화내놓고 아닌 척했어요. 솔아씨가 그런 뜻으로 한 말 아닌 거 알면서.

솔아는 그 장면을 기억했다.

친구들과 함께하는 글쓰기 모임에 솔아는 주로 그 주에 읽은 책을 가져갔다. 그날 가져간 책은 『나자』였다. 함께 제출한 독서 일지에는 솔아가 발췌한 문장들이 있었다. "무엇을 하려고 이 세상에 태어났으며 세계의 운명에 대해 나만이 책임질 수 있는 유일한 메시지가 무엇인가의 문제."[*] 모임이 있기 전날 솔아는 이 구절에 밑줄

----

[*] 앙드레 브르통, 『나자』, 오생근 옮김, 민음사, 2008.

을 긋고 노트에 옮겨 적으며 두어 번 중얼거렸다. 솔아
의 글을 나눠 읽은 모임 친구들은 그 책을 쓴 작가에 대
해, 그 작가가 책에 등장시킨 친구들에 대해 이야기를
하다가 솔아가 밑줄 친 문장을 두고 이야기를 나눴다.
'유일한 메시지'. 너에게 유일한 메시지가 있다면 뭘로
할래? 하고 서로에게 질문했다. 주희가 눈을 느리게 깜
빡이며 말했다.

　나는 SJH.

　네 이름 이니셜 아니야? 그게 메시지야?

　현우가 말했다. 주희는 빙긋 웃으며 조용히 해, 라고
했다. 현우는 조용히 하고 자신의 문장을 고르는 데 집
중했다. 미간을 찌푸려가며 고민했으나 다 마음에 들지
않는 것 같았다. 모임원은 총 네 명이었는데 현우가 말
만 꺼내면 세 여자는 웃음을 참기 바빴다. 현우가 진지
하게 굴기를 그만두지 못하자 지원이 먼저 "현우씨 펜
이 칼보다 강하다 아니에요?" 하고 놀리기 시작했다. 그
것을 시작으로 솔아가 "아니면 문학이란 무엇인가", 말
의 꼬리를 잡고 주희가 다시 "내가 심연을 들여다보면
심연도 나를……" 하고 놀렸다. 현우는 작은 목소리로
나 진짜 그런 사람 아니야…… 하고 항변했지만 효과가

있으리라고 기대하지는 않은 성량이었다. 그런 작은 일로 한참을 웃다가 지원이 솔아를 향해 물었다.

솔아씨는 책 많이 읽는데 문장으로 타투 새기고 싶던 적 없어?

솔아는 고개를 가로저었다.

절대. 문장은 못 새겨요. 새기려고 마음먹고도 고르느라 평생 망설일 거야. 평생 단 하나의 문장이라니 절대 못 골라.

그러고는 지원의 발목을 한번 보았다.

지원씨는 멋있다.

솔아의 시선을 따라 모두가 지원의 발목 쪽을 보자 지원이 쑥스러운 듯 발목을 감싸 쥐었다. Live your life. 거기엔 그렇게 쓰여 있었다. 주희도 지원을 보며 말했다.

지원 언니는 정말로 혼자 잘 가는 거 같아. 묵묵히.

그날 모임이 끝나고 솔아와 지원은 함께 걸었다. 모임 장소였던 상수역에서 집으로 돌아가려면 둘의 방향이 달랐는데, 막차 시간에 늦지 않는 이상 늘 한두 정거장 정도는 함께 걷다가 반대 방향으로 헤어졌다. 그러다가 문득 지원은 변명처럼 말했다.

나는 죽겠다는 생각은 한 번도 해본 적이 없거든요.

음.

근데 이상하게 죽음이 가까이 있다고 믿어왔어요. 신이 아니라 죽음을 믿는 것처럼. 언제든 죽을 수 있다고. 그렇게 생각하니까 사는 게…… 너무 대단하고 소중하고 잃고 싶지가 않은 거예요.

언제든 죽을 수 있다고요?

응. 진짜로 갑자기. 운이 나빠서. 내 의지랑은 상관없이 죽어서 내가 알던 모두를, 모든 곳을 떠날 수 있다고 생각하면서 살아요. 갑자기 가스가 폭발할 수도 있고 불이 날 수도 있고 타고 가던 버스나 지하철에서 사고가 날 수도 있고 하물며 누가 나를 그냥 죽일 수도 있는 거지.

……

어릴 때 〈위기탈출 넘버원〉을 너무 많이 봤나봐요.

지원은 농담처럼 말하고 웃었지만 솔아는 지원을 그저 보았다.

저 하나 있어요. 책 속 문장.

왜 얘기 안 했어요, 아까?

그냥. 부끄럽기도 하고…… 요즘 꽂힌 거지 영원한 건 아니니까.

그러고는 휴대폰 노트에 메모해두었던 것을 찾아 읽

어쳤다. 최근에 읽은 책에 있던 문장인데요, 하면서.

마음은 버림받았습니다. 사람은 또다시 외롭습니다.*

그러고는 멋쩍다는 듯 웃었다. 너무 처연하죠? 하고 괜히 지우는 말을 덧붙였다. 지원은 웃지 않았다.

외롭다는 생각 너무 많이 하지 마요.

그러려고요.

솔아에게는 타인이 건넨 말에 무조건적으로 맞장구 치는 버릇이 있었다. 무조건이라고 해서 늘 조건이 없는 것은 아니었지만. 무조건에는 생각보다 조건이 있다. 그 조건은 솔아의 애정과 마음. 솔아는 애정과 마음을 기울 이는 상대에게는 제동을 거는 말을 잘 하지 못했다. 왜 요? 왜 안 돼요? 하고 묻는 일은 솔아의 것이 아니었다. 맞아요, 그래요, 좋아요, 저도요, 그런 말들이 솔아의 것 이었다. 지원은 솔아의 대답을 들었는지 못 들었는지 계 속 말했다.

그러다 잡아먹혀요. 솔아씨 건강한 사람인 줄은 알지 만, 너무 믿진 마요. 외로움에 너무 빠지지 말아요.

솔아는 고개를 끄덕끄덕. 두 손을 맞잡고 손가락을 뽑

----

* 스베틀라나 알렉시예비치, 『체르노빌의 목소리』, 김은혜 옮김, 새잎, 2011.

을 듯 주무르고 손끝의 거스러미를 뜯고 손톱으로 손톱을 긁어 찢었다. 찢어진 손톱 부스러기를 길에다 버렸다. 안녕. 잘 가. 무안함을 견디려고 죽은 손톱들에게 인사했다.

2021/09/21

여름에 지원에게서 소포가 왔어. 나는 놀라우면서도 이때다 싶었지. 이제야 내가 외면할 차례라고. 이상한 마음으로 소포를 풀었어. 엽서와 부채였어. 엽서와 부채. 나란히 읽는 게 이상하기도 하고 그다지 이상할 것이 없기도 하고. 여름이니까 부채였을 거고, 부채만 보낼 순 없어서 엽서가 있었을 텐데 나는 그게 왜 하필 여름에 왔을까 한참 생각했어. 지원에게 가능했던 시간은 여름이구나. 그 하나의 결론에 도달하기까지 무수히 묻고 물었어. 지원이 아니라 나에게. 걔는 생각이 있나? 이렇게 다짜고짜 부채를 보내면 단가? 말없이 떠나놓고 엽서 한 장 보내면 다냐고? 날 뭘로 아는 거냐고? 내가 엄마처럼 보여? 수줍게 몇 마디 안 하면 앞뒤 말을 다 붙여주고 이해해주는 엄만 줄 아냐고? 정말 어이가 없다. 어이가 없어. 어이가 없다는 말을 속으로 몇 번이나 중얼거렸는지 모른다.

　그때 나는 분노만 생각했어. 그런데 그 부채를 처음으로 뒤집어보았을 때, 거기엔 네가 있었는데. 지원이 그렸고 지원이 새겼기 때문에 어찌할 수 없이 똑같은 네가. 너를 잃어버렸다는 사실을 아는 유일한 사람인 지원이 너를 다시 그려 나에게 줬기 때문에 너일 수밖에 없는 네가.

　답장을 쓰기엔 좀 늦어버렸을까.

*

　솔아가 상자를 안고 방으로 들어왔을 때 나는 나무를 떠올렸다. 지원과 솔아의 팔과 손이 부딪히고 스칠 때마다 나무는 때때로 나를 스쳐갔다. 흙빛의 종이 상자였을 뿐인데 어쩐지 알 수 있었다. 나무 냄새가 났다.

　지원과 솔아는 이 주에 한 번 만나는 사이였다. 정확히는 이 주에 한 번은 꼭 만나고, 그 사이사이에도 만나는 사이. 이 말은 재미있다. 사이사이와 사이…… 그런데 언제부터인가 만나는 날과 만나는 날의 사이가 멀어졌고, 그렇게 계속 만나지 않는 시간이 길어지다가 결국

엔 보지 않고 각자 새해를 맞는 사이가 되었다.

둘은 책을 서로 빌려주었고, 같은 책의 다른 부분에 밑줄을 그었다. 선의 굵기도 길이도 달랐다. 지원은 짧고 굵었고 솔아는 흐릿하고 약했다. 지원은 주로 장면에, 솔아는 주로 물음에 밑줄을 그었다. 솔아와 지원은 자신이 긋지 않은 밑줄을 오래 들여다보았다. 그럴 때면 나도 먼저 그어진 지원의 밑줄과 전혀 다른 부분에 접히는 솔아의 귀퉁이를 보았다. 그리고 다시 서로의 손으로 돌아가는 책들. 그것은 거인의 몸에 새겨진 문신들 같았다. 거대한 몸에 제각각 새겨진 그림과 문자. 그러나 결국 한몸인. 거인의 몸은 너무 넓고 커서 각자 새겨진 문자와 그림은 만나지 못하지만 그걸 바라보는 사람은 보인다. 그것들이 서로 겹치지 않은 채 커다란 이야기가, 세월이, 역사가 되는 것이. 이것은 언젠가 지원이 들고 다니던 그림책을 구경시켜줄 때 슬쩍 보았던 것. 제목이 기억난다. '마지막 거인'. 가로로 길쭉하고 흙빛 겉표지를 지닌 그림책이었다. 거기에 나오는 거인들은 어금니에도 그림이 새겨져 있다고 했다.

솔아의 몸에 그림이라곤 나 하나였다. 솔아는 내가 독차지한 셈이다. 그러나 지원의 몸은 조금 더 거인족에 가까웠다. 여기저기에 그림이 있었다. 그리고 지원과 솔아가, 지원과 내가 닿기 좋은 위치에 나무가 하나 있었다. 나무 같지 않다고 생각했는데 나무였다. 삼각형 세 개에 막대기 하나. 언젠가 주희가 그걸 보고 수박바 아니에요? 하고 놀렸다. 지원은 딱 잘라 아니라고 말했다. 아니거든. 나무거든. 그 목소리와 음정을 기억한다. 나도 그것이 나무라는 걸 안다. 왜냐하면 나무와 나는 닿은 적이 있고 초식 공룡인 나는 무심결에 그 나무를 향해 입을 벌릴 뻔했기 때문이다. 나무는 나에게 주의를 주었다.

먹으면 안 돼.

지원과 솔아가 서로를 만나는 빈도수에 비해서 나무와 나는 현저히 적게 만난 편이다. 그래도 나무가 거기 있다는 걸 알고 난 뒤로 우리는 종종 서로의 모습을 보지 않고도 이야기를 나눴다. 각자가 새겨진 몸의 안부를 묻기도 했다. 그건 사람들이 하는 전화 통화와 비슷했다.

지원이는 바빠?

응 요즘 바빠.

오늘도 솔아가 기다렸잖아. 뭐 하느라 바빠?

일도 바쁘고…… 전화를 많이 받아. 지원이를 급히 찾

는 친구가 있어. 그럼 당장 시간을 내야 하거든. 오늘도 꼼짝없이 한두 시간 내내 그 친구 이야기를 들어줬어.

지원이 친구들도 다 거인족처럼 몸에 그림이 많아?

응 많아. 지원이는 적은 편이야.

그런 몸에 살면 어떨 것 같아?

글쎄. 시끄럽지 않을까?

너는 지금 거기가 좋아?

응 좋아.

왜 좋아?

오목하고 조용해서.

오목하고 조용해서. 나는 나무의 말을 한 번 따라 했다. 그건 정말 좋게 들렸다. 나무가 지금 지원과 함께 사는 곳도 오목하고 조용할까? 솔아와 친구들이 나누던 이야기를 이리저리 떠올려보면 어디든 서울보다는 조용하다고 했던 것이 기억난다.

그곳에서 소포가 왔구나. 나무와 지원이 있는 곳에서.

아침저녁 날씨가 점점 차가워지고 나는 여전히 창가에 매달려 일기장에 코를 박고 뭔가 열심히 적는 솔아를 본다. 뭘 적어 솔아야? 그러다 조금 먼 곳에 시선을 두면

하늘이 내 몸처럼 파래서 현기증이 인다. 저 하늘로, 솔아로부터 더 멀고 높은 곳으로 흡수될 것만 같다. 너무 멀리 가려던 것은 아니었는데. 너무 멀리 왔다. 갑자기 거대한 파도처럼 걱정이 일었다. 그저 거리를 둔 채 솔아와 함께이고 싶었다. 솔아의 머리부터 발끝까지, 삭제되고 잘린 부분 없이 온전하게 바라보고 싶었다. 그러나 너무 멀리 오지는 않았나? 같은 생각이 들면 내 선택이 종종 후회가 되곤 했다. 날이 싸늘해지자 더욱 그랬다.

그런데 그때 솔아가 책상 밑에 내려둔 상자에서 부채를 하나 꺼냈다. 살랑살랑 가을바람을 부쳐보다가 빙글, 부채를 반대로 돌렸을 때.

거기엔 내가 있었다.

내가 살갗에서 떨어져 나와 빛으로 스며들기 위해 잃어야 했던 진하고 검은 선들로 선명하게, 내가 그려져 있었다. 한동안 부채 속 나를 들여다보던 솔아가 부채를 조심히 들어 책상을 내려다보게끔 세운 뒤 다시 일기장에 뭔가를 적기 시작했다. 등이 동그랗게 굽고 손이 바삐 움직이고 사각사각 글이 쓰이는 소리를 따라 솔아의 고개가 끄덕끄덕. 그런 장면은 낯선 것이 아니었다. 솔아는 언제든 수첩을 열고, 책을 열고 뭔가를 적었으니까. 그런데 이상하게 그 일기의 문장만은 보고 싶었다. 그때, 솔아의 눈꺼풀 속에 살 때, 솔아의 얼굴을 멀찍이서 한눈에 보고 싶었던 것처럼 강렬하게. 나를 솔아의 몸에서 떨어지게 할 만큼 강렬한 의지가 들었던 것처럼, 이번에도 그랬다.

여름보다 부쩍 짧아진 가을 해가 저물고 있었다. 창밖이 붉고 푸르게, 그 모든 색이 뒤섞여 어쩌면 보랏빛으로 변하고 있었다. 지금인가. 순간이었는데 바로 그때임을 알았다. 나는 또 한번 자리를 바꾸기로, 몸을 바꾸기로 마음먹었다. 첫번째도 해냈고 두번째도 해냈다. 세번째만큼 쉬운 일은 없다.

*

나는 책상에 비스듬히 세워진 부채 속에서 솔아를 본다. 솔아의 손이 바삐 움직여 적는 답장을 본다.

지원씨 저는 풍력발전기를 좋아해요 가까이 가면 너무 크고 모르겠는 것이 멀리서 보면 잘 돌아가는 게 너그럽고 다정해 보여서요 해가 지는 무렵에 먼 곳에서 돌아가는 풍력발전기를 보고 있으면 그립고 든든하고 그래요 멀리 두고 오래 보고 싶은 사람 있잖아요 그러다보면 언젠가는 먼 줄 알았는데 성큼 가까워져 있기도 할 거예요 지원씨 우리에게 시간이 더 많이 지나면요 모르는 일이 훨씬 많이 생길 거예요……

답장을 다 쓰고 고개를 들어 다시 부채를 봤을 때, 부채에 푸른 물이 든 걸 발견한 솔아는 그걸 펜에서 번진 잉크가 묻었다고 생각할까? 아무래도 상관없었다. 솔아는 이미 그게 나인 것을 안다. 솔아의 글을 읽고 나는 다시 하늘을 올려다보았다. 창문 근처 내가 살던 섬세하게 세공된 작은 유리 조각을 본다. 삽시간에 완전히 저문 하늘. 멀리서 너를 보기를 잘했다고 생각한다.

마음의 경로를 따라가는 가장 아름다운 방식

강보원(문학 평론가)

이상하게도 좋아하는 사람 앞에서는 무엇 하나를 제대로 하기가 어렵다. 말을 하는 것도, 하지 않는 것도, 했거나 들었던 말에 대해 생각하는 것도 생각하지 않는 것도 전부 다 마음처럼 되지 않는다. 그러니까 마음은 두개다. 내 마음과 내 마음처럼 되지 않는 마음. 어린이들이 공룡의 전문가인 것과 같은 방식으로, 김화진은 이두 마음이 벌이는 일에 대한 전문가다. 그리고 그의 소설은 언제나 더 힘이 센 이 두번째 마음이 어느샌가 내몸속에 자리잡은 타인이라는 것을 알려준다. 이 타인이 "엑스레이로도 초음파로도 찾을 수 없지만, 그런 걸로는 볼 수 없는 내 몸속 어딘가에 옮겨가 사는 것이다."

(85쪽) 타인은 지옥이라고 하지만, 김화진과 그의 인물
들이 어차피 알 수 없는 것은 깊게 생각하지 않는 게 좋
다는 손쉬운 정답에 굴복하는 일은 없다. 오히려 그가
"겉으로 보이는 행동이 전부라고 애써 믿으면서도 그
안을 조금이나마 헤아려보는 일"(43쪽)을 그만둘 수는
없다고 고백하는 이유는 이 막막한 헤아림 없이 타인에
게 다가갈 수는 없다고 믿기 때문일 것이다.

  사실 말해주지 않은 타인의 마음을 헤아리는 일은, 그
마음을 헤아리는 자신의 마음을 들여다보는 일과 다르
지 않다. 어쩌면 이것이 타인에 대해 생각하는 것이 꺼
려지는 진짜 이유일지도 모른다. 그렇게 들여다본 나의
마음은 때로 너그럽지 못하고 많은 사소한 것들을 왜곡
하며 자주 이기적이기 때문이다. 외면하고 싶은 것을 바
라보는 일은 상처가 된다. 하지만 김화진은 타인에 대한
타고난 열정으로 이 상처를 향한 한 걸음을 내디디며,
그 안에서 타인을 향해 나아가는 길을 찾고야 만다. 이
탐구가 자신의 내면으로 함몰되지 않는 이유는 그가 모
순되고 얽혀 있는 마음들 중에서 진정한 '나'를 골라내
려고 하지 않기 때문이다. 대신 그의 소설은 그 겹겹의

마음들이 모두 나라고, 그래서 우리의 만남이 이토록 복잡하고 또 그 모든 열정을 쏟아부을 가치가 있는 것이라고 말하는 것 같다. 말하자면 쓸데없는 생각도 생각이고 부끄러운 마음도 마음이다. 그러니 "말랑한 팔"(177쪽)에 그려진 공룡도, 그려졌다가 어딘가로 사라져버린 공룡도 공룡이다. 그런 씩씩한 믿음으로 김화진은 "사라지지는 않았"지만 "그런데 모서리에 있"(127쪽)는 마음을 끝내 발견한다. 이 책에 실린 소설들은 그 마음의 경로를 따라가는 가장 아름다운 방식 중 하나일 것이다.

눈을 감으면 보이는 내 마음의 빛깔은
온통 노랑과 파랑, 그리고 초록

임선우(소설가)

김화진의 소설에는 마음 탐색자들이 등장한다. 상대방의 시선이 향하는 곳, 목소리와 말투의 변화를 섬세하게 살피는 사람들. 조금 더 얘기해볼까. 그들은 기꺼이 사랑에 온몸을 담가 작은 파동까지 예민하게 감각하는 자들, 그리하여 그 너머의 마음을 탐색하고 세상에 없던 마음의 색채까지 바라볼 수 있는 자들이다.

소설에 등장하는 네 명의 인물은 저마다의 사랑과 저마다의 망설임을 품고 서로를 바라본다. 그들의 마음을 가만 따라가다보면 사랑에 대한 생각에 잠기게 된다. 우리는 사랑 앞에서 때로는 너무 조심스럽지. 그런데 때로는 너무 성급한 것 같아. 사랑에 온 마음을 내어주다가도, 사랑이 아름답다고 말하는 사람들을 함부로 비웃고 싶어진다. 아무에게도 화를 내지 않던 나를 울고불고 싸우게 하고, 술 없이는 잠들 수 없게 하고, 떠난 존재에 사로잡힌 채로 빈집에 앉혀두는 것 또한 전부 사랑이라고, 김화진의 소설은 말한다.

　그러나 마음 탐색자들이 두려워하는 것은 사랑의 어두운 이면만은 아니다. 그들이 가장 두려워하는 것은 제멋대로 시시각각 움직이는 사랑의 이동 경로를 놓쳐버리는 일이다. 나의 의지와 무관하게 사랑이 어느 날 흔적도 없이 사라져버린다면? 김화진의 소설은 사랑하는 이들이 품은 불안을 생략하거나 뛰어넘는 대신 고스란히 경험하는 쪽을 선택한다. 나는 어떠한 미화나 과장 없이 인물의 내면을 담아내는 그녀의 솔직한 문장을 좋아하고, 그보다 더 좋아하는 것은 그녀의 인물들이 어두운 계절을 지나 기어이 선택하는 것이 또다시 사랑인 장면들이다. 주희가 삼백 살 먹은 나무처럼 담담하게 말을 내뱉을 때, 솔아에게 지원이 부채를 보낼 때, 피망이 부채 속으로 옮겨갈 때. 그런 순간들 앞에서 나는 매번 멈춰 섰다. 어떠한 일이 있더라도 반드시 선택하게 되는 사랑을 알아차리기 위해서. 그런 순간에 눈을 감으면 보

이는 내 마음의 빛깔은 온통 노랑과 파랑, 그리고 초록
이다.

작가의 말

친구가 필요해서 소설을 읽고 쓰게 된 건 아닐까 생각한 적이 많다. 읽고 있는 소설에서 친구가 되고 싶은 인물, 친구가 될 수 있을 것 같은 인물을 발견하면 무척 든든하고 좋았다. 여기에는 없지만 거기에 있구나, 하는 마음이 되어서. 책을 펼치면 언제든 만날 수 있고 책을 덮으면 순식간에 혼자가 되는 것. 현실은 숭덩 잊어버리고 몇 초 사이에 하나였다가 여럿이었다가 하는 경험이 마법 같았다.

친구가 없다가 친구가 생기고 친구와 헤어지게 되는 사건 혹은 흐름 혹은 나날 들을 매번 잘 이해하지 못한 채로 살아온 것 같다. 항상 충격이고 항상 신비로웠다.

그것이 되풀이되는 삶 자체는 더욱 충격이고 더욱 신비롭다. 이유 없이 훌쩍 다가가고 싶었거나 내게 다가와줬던, 제각각의 이유로 나를 떠났거나 내가 떠나보낸 친구들을 생각한다. 어쩌다 그렇게 되었지, 하고 곱씹는 것은 나의 오랜 취미다.

『공룡의 이동 경로』에 담긴 소설을 차례로 쓸 수 있었던 이유는 여러 가지가 있지만, 역시 친구 덕분이다. 재미있는 소설을 쓰고 싶은데 생각이 잘 안 난다, 하고 푸념했을 때 유정이 김밥이가 돌아다니는 거 어때? 하고 아이디어를 주었다.(김밥이는 내 팔뚝에 있는 작은 유니콘 타투의 이름이다.) 그 한마디에 시작할 수 있었다. 내 푸념을 지나치지 않고 대꾸해주는 그런 마음이 친구의 마음인 것 같다.

다섯 편의 소설은 2019년부터 2021년까지 쓰였다. 솔아, 지원, 주희, 피망이, 그리고 현우 차례로 완성했다. 피망이 시점일 때 가장 슬프고 자유로웠다. 슬펐던 이유와 자유로웠던 이유가 비슷하다. 관찰자이거나 관찰자가 등장해서. 나는 언제나 나도 모르는 내 마음의 관찰자를 원했다. 누군가가 너 지금 그렇구나, 하고 아주 정확하게 말해주길 바랐다. 소설을 쓰며, 내가 바라는 것은 내가 해야 한다는 사실을 깨달았다.

친구에 대한 소설이니 친구에 대한 이야기를 해보자면 기억에 남는 장면이 있다. 다른 사람에게 소설의 초고를 보여주는 일이 드문데, 이 소설은 몇 번 보여준 적이 있다. 소설의 초고를 읽었던 기현이 어느 봄인가 여름 상수역 맥줏집에서 피망이가 '생기가 있다!' 하고 외치는 부분이 좋았다고 말해주었다. 그러면서 그 부분을 소리 내어 읽어줬는데 그게 기현과 참 잘 어울렸다. 고마워서 연작을 다 쓰고도 종종 떠올렸다.

그리고 예인을 만난 몇 번의 저녁도. 예인이 이 소설을 읽고 마음 써주는 게 신기하고 좋았다. 이 책을 예인과 함께 만들 수 있어 기쁘다. 선배, 예인씨, 그렇게 부를 수도 있었는데 예인, 하고 부르게 된 것도. 친구를 잃어버리는 소설 덕분에 친구를 만나게 되기도 한다. 그렇게 만나게 된 친구 덕분에 또 새로운 소설을 쓰게 되기도 할 것이다. 이런 순환이 발생하기도 한다고, 그것은 나의 큰 힘이고 기쁨이라고 적어두고 싶다.

트리케라톱스 타투가 나오는 소설을 쓰고 트리케라톱스 타투를 했다. 타투의 이름은 피망이다. 소설이 현실을 반영하기도 하지만, 현실이 소설을 반영하기도 하는 일이 나는 즐겁다. 솔아, 지원, 주희, 현우와도 언젠가 어디에선가 만나게 될까? 모르긴 몰라도 언제나 어디서나 씩씩하게 살았으면 좋겠다. 이들이 서로를 다시 만나 오래 함께 지내면 대견하고 멋지고, 다시는 만나지 못하고 각자 알아서 살더라도 당연하고 멋지다.

누가 누구를 더 좋아하는 마음은 슬프고 안쓰럽다. 누가 누구를 덜 좋아하는 마음은 슬프지만 어쩔 수 없고. 가끔 삶을 사는 방식이 더 좋아하는 사람이 되었다가 덜 좋아하는 사람이 되었다가 기우뚱거리는 것이 전부인 것 같을 때가 있다. 어쩐지 소설은 그럴 때 쓰는 것 같기도 하다. 혼자서 이 마음 저 마음 옮겨다니다보면, 그 궤적이 소설에 남으면 제법 뿌듯하고 이렇게 사는 것도 괜찮지, 하게 된다.

2023년 여름,
김화진

소설이 발표된 곳

「사랑의 신」
(『현대문학』 2021년 4월)

「나의 작은 친구에게」
(『유령들』 1호, 고스트프레스, 2021)

「나 여기 있어」
(앤솔러지 『혹시 MBTI가 어떻게 되세요?』, 인다, 2022)

「이무기 애인」
(미발표)

「공룡의 이동 경로」
(미발표)

스위밍꿀 소설

공룡의 이동 경로

© 김화진 2023

1판 1쇄	2023년 8월 8일	**1판 4쇄**	2024년 7월 7일

지은이	김화진
펴낸이	황예인
편집	황예인
디자인	함익례
마케팅	하진

펴낸곳	스위밍꿀
출판등록	2016년 12월 7일 제2016-000342호
주소	서울특별시 마포구 양화로58
연락처	swimmingkul@gmail.com
ISBN	979-11-960744-7-0 03810